醫典重光

珍版海外中醫古籍善本叢書

傳信尤易方

〔明〕曹金 輯
張志斌 整理

人民衛生出版社
·北京·

圖書在版編目（CIP）數據

傳信尤易方 /（明）曹金輯；張志斌整理. -- 北京：人民衛生出版社，2025. 10. --（醫典重光：珍版海外中醫古籍善本叢書）. -- ISBN 978-7-117-38715-6

Ⅰ. R289. 348

中國國家版本館 CIP 數據核字第 2025UP0833 號

醫典重光——珍版海外中醫古籍善本數字化資源庫
網　　址：https://ydcg.ipmph.com
客服電話：400-111-8166
聯係郵箱：ydcg@pmph.com

醫典重光——珍版海外中醫古籍善本叢書

傳信尤易方

Yidian Chongguang——Zhenban Haiwai Zhongyi Guji Shanben Congshu

Chuanxin Youyi Fang

輯：〔明〕曹金
整　　理：張志斌
出版發行：人民衛生出版社（中繼綫 010-59780011）
地　　址：北京市朝陽區潘家園南里 19 號
郵　　編：100021
E - mail：pmph @ pmph.com
購書熱綫：010-59787592　010-59787584　010-65264830
印　　刷：北京盛通印刷股份有限公司
經　　銷：新華書店
開　　本：889 × 1194　1/16　　印張：51　　插頁：1
字　　數：496 千字
版　　次：2025 年 10 月第 1 版
印　　次：2025 年 11 月第 1 次印刷
標準書號：ISBN 978-7-117-38715-6
定　　價：689.00 元
打擊盜版舉報電話：010-59787491　E-mail：WQ @ pmph.com
質量問題聯系電話：010-59787234　E-mail：zhiliang @ pmph.com
數字融合服務電話：4001118166　E-mail：zengzhi @ pmph.com

珍版海外中醫古籍善本叢書

叢書顧問

王永炎

真柳誠［日］

文樹德 (Paul Ulrich Unschuld)［德］

叢書總主編

鄭金生

張志斌

叢書整理凡例

一、本叢書旨在收載複製回歸的海外珍稀中醫古籍。子書的書名一般以扉頁名稱爲準。無書扉頁者，以其卷首所題書名爲準，但『新刊』『新編』『校正』之類的修飾詞不放進書名。

二、每種古醫籍之前有『提要』，主要介紹作者（朝代、姓名字號、籍貫，生活時間、簡要生平、業績、撰寫此書的宗旨等），書籍名稱，卷數，影印底本的基本形制、刊刻年代、堂號、序跋題識等，主要内容與特色，以及書目著錄與底本流傳簡况。

三、叢書中的每種子書均依據影印本的實際標題層次編製目錄。卷數與卷名爲一級，篇名爲二級。必要時出示三級目錄。其中本草書的藥名爲最後一級。單純醫方書收方甚多者以歸納方劑的方式（如病名、功效等）爲最後一級目錄，收方不多者可以方名爲最後一級目錄。凡新擬篇目名均用六角符號『〔〕』括注。

四、影印本對原書内容不删節、不改編，盡力保持原書面貌，因此原書可能存在的某些封建迷信内容，以及当今不合時宜的藥物（如瀕臨滅絶的動植物等）不便删除，請讀者注意甄别，切勿盲目襲用。

五、本叢書采用影印形式，最大限度地保留原書信息，如眉批、句讀、圈點、補注、批語、印章、墨丁等，并保持古籍筒子頁甲面、乙面的對照關係，以及一切對版本鑒定、學術研究有價值的重要信息。在此基礎上，本叢書爲體現影印本的文獻價值和應用價值，將仔細檢查有無錯簡、缺頁現象，若有則盡力予以調整、補缺，並在不損傷原書文字的前提下，盡力消除污髒殘損痕迹，以利閲覽。

提要

傳信尤易方輯者名曹金，字汝礪，號傳川，又號少川。河南祥符人，明嘉靖二十六年（1547）進士。其序中自稱夷門（今河南開封）人，曾官至『通奉大夫陝西等處承宣佈政使司右布政使』，并非以醫爲業。

曹氏自敘云其從小得『脾病』，曾召集當地名醫治療，但『百弗一功』。最後有一人告訴他吃『蠡實』單方，才把病治好。從此他就留心收集醫方，尤其是單方驗方。在他取得功名之後，曾經在江蘇、山東、浙江、陝西等地任職。每到一地，他就接待當地懂得醫藥的人士，只要是奇藥單方可采者，就隨手記錄，存於隨身行李中。經20餘年，曹氏採錄的單方已經上萬。隆慶元年（1567），曹氏在易州（今河北易縣）任職，命當地的醫官鄭鸞，將所藏醫方分類整理，并注明出處。兩年後，曹氏在陝西任職，又請涇陽（今屬陝西）醫士王玎檢校刪正，分作8卷，命名爲傳信尤易方，刊刻傳世。

傳信尤易方共錄醫方4 000餘首，按疾病、病位或醫學分科等分成74門。其中卷一主要是外感六淫引起的疾病，如風、暑、濕、火、燥、傷寒等；卷二、卷三則主要是雜病，如眩暈、消渴、積聚、虛損、補養等；卷四按身體部位分門，列頭面、眼目、耳、口齒、咽喉，以及心痛、腹痛、腰痛等門；卷五主要是身體下部的疾患，如諸淋、疝氣、陰瘻、秘結等；卷六屬外科、皮科、骨傷科的疾病；卷七爲婦科；卷八主要爲小兒科的疾病，末附救諸危絶證門。

本書特點是『傳信』與『尤易』。『傳信』，是指把自己確信的東西傳告給他人。用在醫方書，表示此書中醫方的可靠可信。爲了说明此書所收方劑之傳信，雖然是以單方驗方爲主，但和一般單方驗方醫書不同，該書比較注重各方的出處。這使我們能比較清楚地瞭解該書方劑的來源，也證明了方劑的可信程度。據初步的統計，該書所引醫藥書70餘種。從所注出處來看，唐、宋大型醫方書、本草書中的醫方，是該書的重要來源，其次是元、明時期的衆多醫方和少量的本草著作。其中還有一些醫書很少見諸引用，例如惠庵集、古愚自效方、松篁岡方、濟生便宜方等，在現存醫書的書志中亦未能見到，屬於今佚的醫書，頗有文獻與實用價值。該書的校正者王玎，也補充了近百首醫方。王玎是一名醫生，他所補充的這些醫方更具有實用價值。該書輯者曹金收集的方劑雖多，但在出版之前，已經請了專職的醫官進行篩選，從上萬首方劑中篩選了4 000多首。就當時的認識水平，把一些道聽途説、荒誕不經的方劑先期删去，因而增加了本書的『傳信』特點。

『尤易』，是指所收藥方中藥物的簡便易得。書中極少有藥味衆多的方劑，也不收一般醫方書多見的成藥膏丹丸散。絶大多數方劑藥僅數味，單味藥方占了很大的比例。所用藥品率多尋常易得之品。書中不談高深理論，均以簡單症狀表現爲用方依據。在缺醫少藥的窮鄉僻壤，可『隨症檢方，隨方製藥，隨藥醫症』。另外，本書食治方衆多，方便普通百姓臨床應急選用，同時也反映了該書輯者與編者重視食療的思想。

傳信尤易方在中國失傳已久，今僅在日本存有明刊本和日本抄本兩種。本次影印選用明曹金集、隆慶四年（1570）序刊本複製件。原書收藏于日本宮内廳書陵部，凡8册8卷。書號：404-6。版框高21.4釐米，寬14.4釐米。每半葉10行，行20字。白口，無魚尾。四周雙邊。首爲隆慶四年栗永禄序（序首殘）、曹金『傳信尤易方敘』。次爲目録、正文。每卷之首題署爲『傳信尤易方卷之某/易州醫官鄭廷臣檢閲/涇陽醫士王玎校正』。該本各卷之首除宮内廳書陵部所鈐『帝室圖書之章』外，還有『鳳雲閣印』一枚，來源不明。

目錄

卷之五……四五八

刋傳信尤易方序

邇時刋醫方書者無慮數十種有經驗良方有救急易方有奇效單方又有衞生易簡方諸如此類姑未暇縷舉大都于古今諸方書中選精要簡當施治奇驗者彚爲集各自標題要之間有同異均于醫

術有裨焉爾矣夷門少川右使曹公素留神軒岐内經靈樞諸篇尤邃于仲景叔和丹溪等諸部經方故自登仕来歇歷淮揚齊魯會稽間所過名勝即登眺移日值羽士緇流輒改顏款接叩底裏但奇藥單方可采随便劄記付行笥以随

垂二十餘禩方積笥盈奚啻萬計
茲轄政少暇悉所積校理之辨症
分門犂然備具稍方品重複詭異
不經者盡為刪芟迺得八卷中有
症頗相類則附註本門有間出各
方則明註方後較諸種更為精當
簡便且經試多奇驗遂題曰傳信

尤易方一展卷門類區別藥品弗淆治療法備雖窮鄉下邑人得此隨症檢方隨方製藥隨藥醫症不出户庭效可立覩醫可勿他覓也近世所謂醫者吾惑焉率知症不知脉知藥不知性誰能曉暢流注十二經脉審察標本緩急爲施治

後先寉反戾寒暑虛實之常妄投砭劑萬一求中將疾加劇而速其斃夫以千金軀付庸醫轉盻莫救險乎可畏醫豈易談者耶故疾而得良醫上也不醫中焉庸則下矣斯方指症用藥治療易曉信方書指南苟執業者無須謬稱善診視

輒妄意增減以自逞只詳症詢所由慎按方而投之劑將罔有不瘳者雖即謂之良醫亦可也昔真人孫思邈有備急千金方行于世非方可千金值也蓋以荒僻下里鮮有藥石倉卒間需之甚便即可活人故人咸千金重之或謂千金名

方為未然然疾果應手而愈縱千金可換者哉獨謂可備急而輒收奇效故千金神之爾孫公避亂于周徵詔于隋唐間皆不仕但以方藥濟人名重今昔其所謂不為良相則為良醫者非與曹公出是方遂為刋之 知當與千金並傳頡頏

孫公無疑已矧公中州人豪久歷
藩臬適
聖天子需才甚亟物色有在行躋台
鼎司爕調將推是心以壽民命壽
國脉保
鴻圖磐石之固翊
龍運靈長之休端于公乎屬焉所謂

二良者當兼有之矣孫公云乎哉

隆慶四年正月望日

賜進士第通奉大夫陝西等處承宣

布政使司左布政使上黨健齋栗

永祿書于紫薇燕省

傳信尤易方敘

余聞之尺有所短寸有所長確哉其言之也蓋余少膺脾病召一方時所謂名能療者乃百弗一功焉會客有授余啖蠡實者非有所診候而審辯也輒一再月而彊食倍他日繇此觀之世甞言海上方能

愈劇疾不虛哉不虛哉余既以日履和豫叨役四方所過名勝羽客衲子時問所素善易方歲久累數篋間發治所主病屢屢稱捷效隆慶改元余起使易水命醫官鄭鸞比類裒集曰韙哉方乎傳之海上人而實散見諸名家所載籍者也

余更使明著所自出而頗厭其繇複後二年余再携入秦秦涇陽醫士王玎檢校刪正釐八卷錄成適左使上黨健齋栗公雅抱博濟之猷間取而觀曰夫在物有之運規而索圜有弗圜焉我知其不為方也操矩以求方有弗方焉我知其

不為圜也以余讀若方殆醫之規矱非與吾為若梓以博民壽何如余曰公之意信大厚幸吾志也然竊有所不敢焉夫在昔許氏儼宗者非古之善醫與乃勸之著書則辭曰醫言意也吾所解口不能宣嗟余曷知顧以所為彙方直剽剝草

澤之土宜云爾如所不傳何邪公曰唯唯否否子第知信古之醫無專方亦知信今之醫不如信方之爲愈乎夫聖神不作工巧遠矣世之言醫者陰陽運氣經候標本一切憒焉諸所施治問症投劑動數十品希射一中其不戕而生者蓋

寡矣使今之病者脊檢厥方毋任已紛更即有弗瘳焉弗戕也不觀之治乎漢蕭相國何約法纔三章耳何其簡也平陽侯繼之較若畫一何其易也然當其時民頌以寧一而二公又世七八稱賢相不磨見近世言治者好若為文章多其議論

因陋設策紛無底極而療痍日以蹙今吾子乃欲以三章訾厥方可乎于是卒刻而名之曰傳信尤易方蓋古有衛生千金救民備急易方而是方不伐物命品取諸任土所宜無煩雷公操炮隱居辯治而又嘗試多奇應故云時

隆慶歲在庚午春正月上元日

賜進士出身通奉大夫陝西等處承

宣布政使司右布政使夷門曹金

書于紫薇清署之體信堂

傳信尤易方目錄

卷之一

卷之二

卷之三

卷之四

卷之七

卷之八

傳信尤易方卷之一

易州醫官鄭廷臣檢閱
溧陽醫士王玎校正

諸風門

治中風不語痰厥卒然暈倒不省人事一時緊急藥未得便速取香油一盞灌入喉中後以鷄鴒翎探吐痰涎立出神效○又方取竹瀝以匙滴灌喉中痰涎或吐或下即醒○又方取荆瀝以匙強灌入喉中痰涎或出或下即醒○又方急擣塩汁溫熱徐徐以匙灌之攝生衆妙方

治中風不能語用豆豉茱萸各一升水五升煎二升稍稍飲之或灌之外臺秘要○又方獨活一兩剉酒二

升煎一升大豆五合炒有聲將藥熱投盞良久溫服三合未瘥再服出經驗後方○又方以苦酒煑芥子傅頸一周用帛裹之一日一夕乃瘥肘後方○又方用煑黑豆汁如飴含之良飲亦佳肘後方○又方剉穀枝葉用酒煑熱皮中沫出任多少飲或灌之肘後方○又方以酒五合和人乳汁半中分為二服千金方

治中風不語喉中如拽鋸聲口吐涎沫取藜蘆末一分天南星一箇去浮皮臍上剜一坑孔內入陳醋二匙平坐灰火內逼令黃色擣研極細以生麪糊

丸赤小豆大每服三丸温酒下經驗後方

治中風不語舌根強硬取三二年陳醬五合人乳五合二件相合研以生絹絞汁不計時候少少與服良久當語千金方

治中風舌強語澁用雄黃研荊芥穗各等分為末每服二錢豆淋酒調下衛生寶鑑方〇又方用茯神炒一两薄荷焙二两蝎稍去毒二分右為末每服一二錢温酒下〇又方用没藥琥珀研各二錢半全蝎七枚右為細末每服三錢匕鵝梨汁半盞皂角末一錢濃煎湯一合與梨汁相合和調下須臾吐出

涎壽便能語千金方

食治老人中風言語蹇澁精神昏憒手足不仁緩弱不遂用葛粉五兩荊芥一握豆豉五合右以搜葛粉如常作之煎三味取汁煮之下葱椒五味臛頭空心食之一二將息為效忌豬肉蕎麪安老方

治中風面目相引偏僻牙關拘急舌不得轉用桂心酒煮取汁成膏蘸搨患上正則止之右喎搨左左喎搨右常用大效孫真人食忌

治中風目瞑牙噤無門下藥用此末以中指點末揩齒即開庶得下藥名開關散用天南星白龍腦二

件等分研末用者一字或半錢此藥於五月五日午時合忌鷄犬婦人救急方

治中風口噤不開擣附子末入筒中強開口吹喉中瘥千金翼

治中風口噤不知人事白术四兩酒三升煎一升頓服千金方

治中風通身冷口噤不知人事獨活四两好酒一升煎取半升分三服溫服千金方

食治老人卒中風口噤身體反張不語取大黑豆二升炒令声絕即下酒二升投之煮一二沸去滓頓

服覆卧得汗瘥如口噤仰灌之 安老方

治中風口噤不開涎潮用皂角一挺去皮塗猪脂炙黄為末每服一錢匕温酒調服如氣實脉盛服二錢匕若牙關不開以白梅揩齒口開即灌藥下吐出風涎即瘥 千金方

治中風口眼喎斜取衣中白魚七枚摩偏緩一邊纔正便止恐太過凡患急邊緩邊皆有病先摩緩邊次摩急邊急邊少用○又方用橡斗盛蒜泥塗合若右喎左貼左喎右貼正則止之 奇效良方 ○又方用硬石灰一合以醋炒調如泥於不患邊塗之立便

卷上　衛生易簡方

治中風口喎，用巴豆七枚去皮爛研，左喎塗右脚心，右喎塗左脚心，須臾正，洗去藥，并頓抽掣中指。聖惠方　○又方以皂角五兩去皮為末，以陳醋和，左喎塗右，右喎塗左，待正為止。外臺秘要　○又方以葦筒長五寸，一頭入耳内，四圍以和麪密封，艾炷灸七壯，患左灸右，患右灸左。斗門方

治中風口眼喎斜，半身不遂，用白附子、白殭蠶、全蝎去毒并生用，各等分為末，每二錢熱酒調服。奇效良方

治中風如口喎斜未正者，取萆麻仁搗爛，右喎塗左

左喎塗右即正〇又方取空青如豆大一粒含之即愈

治中風口面喎斜用石灰水調如向右即於左邊塗之向左即於右邊塗之候正如舊即以水洗下

治中風心煩恍惚或腹中痛滿或時絶而復甦者取釜下土五升搗末以冷水八升和之取汁盡服之口已噤者强開以筒灌之使得下入便愈效 千金方

治中風腹痛或子腸脱出酒煎羌活取汁服 出子母秘録

治中風但腹中切痛以鹽半斤炒令水盡每著一兩内口中飲熱沸湯一升得吐愈 肘後方

治中風中氣痰盛不省人事服熱藥不得者用南星六錢木香不見火二錢右㕮咀作一服水二鍾生姜七片煎一鍾不拘時服醫方選要

治中風痰盛服熱藥不得者痰厥氣厥身熱面赤正宜服此用南星八錢木香一錢右每服南星咀四錢姜十片水一盞煎七分臨時入木香末五分調服千金方

治三年中風不輟者取松枝葉一斤細切用酒一斗煑取三升頓服汗出立瘥千金方

治中風身直不得屈伸反覆者取槐皮黃白者切咀

以酒或水六升煮取二升漉去滓分三劑温服千金方○又方用枸杞皮細切一升酒二升浸一宿每日温酒服半升酒盡再作○又方削取枳殼皮屑謂之枳茹一升酒一升浸一宿服五合良至盡再作服肘後方

治中風不能動強顧視穿地以坑燒令通赤用水洒之令温取生桃葉鋪於席下卧之令患人在上以衣覆蓋令氣上蒸汗出良久即瘥千金方

治中風不省人事用生姜自然汁灌之即醒

治服風藥過多不省人事用甘草一两煎湯入生姜

自然汁一盞和服 衛生易簡方

治中風及壅滯用旋覆花洗淨焙羅為末煉蜜丸桐子大臨卧茶湯下三五丸 救急易方

治中風昏倒急掐人中至醒然後用痰藥搗皂角白礬為末等分每用姜湯調一二錢如口不開拗開灌之 衛生易簡方

治中風煩熱皮膚瘙痒用醍醐四兩每服酒調下半匙

治中風四肢逆冷口流清水死轉啼呼用桂二兩㕮咀以水三㪷煑二升去滓溫服亦治失音 孫真人食忌

救卒然中風不省人事多因痰壅搗白礬生末二錢以生姜汁調強開口灌下其涎或吐或化即醒

治偏風及一切風剉桑枝二升新嫩者以水一斗煎取二升每日空心服一盞待盡再煎服　千金翼

治中風左癱右瘓口眼喎斜用槐實子麩炒黃猪牙皂角酥炙黃去子乾菊花炒荊芥穗生用為末煉蜜為丸如弾子大每服一丸細嚼茶清送下微汗出為驗汗後體熱者飲甘草解之　聖惠方

治卒中風瘖瘂倒地不省左癱右瘓口眼喎斜諸藥未服者服之真麝香二錢細研以香油二兩攪勻

強口灌之自甦 千金翼

治初中風一日内癱瘓用膽礬研細每服一字温醋湯下立吐出涎 衛生易簡方

治癱風瘓風大風一切諸風仍治脚氣并顛撲傷折及破傷風服過百粒即為全人取紫背浮萍時七月半撈取擇净不拘多少以盆盛水以竹篩盛萍閣於水盆上晒乾為末煉蜜丸如弾子大每服一粒以豆淋酒空心食前化下造豆淋酒法用黒豆半升揀净炒令煙出以無灰酒三升浸一晝夜去豆取酒用之亦可常服極效 證類本草

治半身不遂左癱右瘓一切風症用大黄一兩朴硝八錢當歸二錢為末每服三錢空心白湯調下

治偏風手足不遂皮膚不仁宜仙靈脾浸酒封固陸續服之無不效驗 聖惠方

治偏風半身不遂及癖疰取桃仁一千七百枚去雙仁皮尖用好酒一斗三升浸經二十一日撈出晒乾擣令細作丸每服二十丸將桃酒日續飲之○又方用生附子咀一兩無灰酒一升浸七日每飲服一合即瘥 外臺秘要

治偏風口眼喎斜時吐涎沫語言蹇澁筋脉拘攣手

足緩弱卧床不起用稀薟草於五月五日六月六日採摘枝葉不拘多少九蒸九晒每次蒸用酒蜜洒之蒸一飯久晒乾為末煉蜜丸桐子大每服百丸溫酒米飲下證類本草

治癱緩風手足嚲曳口眼喎斜言語蹇澁步履不正用川烏去皮臍五靈脂各五兩為末入腦麝研勻滴水丸如彈子大每服一丸先以生姜汁研化次以煖酒調服每日空心晚食前各一服至五七丸便覺擡得身手移得步十丸可自梳頭三十丸全愈衛生方

治卒失聲不出用橘皮五兩水三升煮取二升去滓溫服 肘後方

治風冷失音以蘘荷根二兩研絞取汁酒一大盞相和勻不拘時溫服半盞○又方煮竹葉濃湯服之

治失音用杏仁一升炒去皮尖酥一兩蜜少許杵丸桐子大空心米飲十五丸送下○又方取桂末著舌下漸嚥津汁 千金方 ○又方取槐實不拘多少以新瓦上焙乾懷袖中行坐間常咀嚼數粒令氣味不絕 歐陽公集 ○又方用皂角一挺去皮子蘿蔔三枚切片水二盞煎一盞服之不過三四服聲

即出〇又方取槐花瓦上炒令香熟出火毒半夜後仰卧任意服亦治咯血

治失音不語杵萊菔自然汁入生姜自然汁少少時時飲之 醫林集要

治暴失音用猪脂一斤入鍋先煉成油撈出滓入白蜜一斤再煉少頃濾過貯磁器内冷定服

治失音纒喉風聲不出用青黛薄荷各等分為末煉蜜丸如彈子大每一丸臨卧噙化效

治卒瘂取杏仁三分去皮尖炒另杵桂一分和如泥取李核大綿裹含細細嚥之日五夜三度

治賊風吹著口眼喎斜生烏頭青礬各半兩為細末每用一字搐入鼻中取出涕吐涎奇效良方

治口喎不正用曾青一豆許含之即效本草集要○又方用青松葉剉搗一升以清酒一升浸二宿近火一宿去滓初服半升漸至一升汗出則止聖惠方

治一切風口眼偏斜取青荆芥一斤薄荷一斤共搗絞汁於磁器中看厚薄熬成膏如三分去一分餘滓二分日稍乾丸桐子大每服二十九日可三服忌動風物證類本草

治一切風氣及百節骨痛煖腰膝用白頭翁為末酒

調傳厚以帛縛之效 本草集要

治風軟脚以丹參酒浸服之可逐奔馬〇又方用龜板炙之為末每服三錢空心酒調服之 奇效良方

治風濕氣臂脚痛痒攣痺取水紅花並枝葉即水蓼桑葉不以多少隨意煎湯淋洗不可先洗指甲令出氣 證類本草

治筋攣縮及脚膝筋急痛用木瓜酒煮爛研褁痛處冷即易一夜四五度熱褁即瘥 證類本草

治筋急拘攣不可屈伸久風濕痒用薏苡仁一升擣細米以水二升煮二時作粥空心服食

治歴節風取松脂搗取一升以酒三升浸七日每服一合日三服之聖惠方

食治老人風攣拘急偏枯不通利用鴈脂五兩消之令散每日空心温酒一盞下脂半合調服

食治老人風冷痺筋脉緩急取蒼耳子二升炒熟搗爲末每日煎湯代茶常服除風熱明目安老懷幼方

治十指疼痛麻木不仁用附子木香等分每服三錢姜三片水一盞煎七分服如足弱去附子用烏頭

治諸風緩弱及歴節風骨節酸疼用虎骨以酒炙黄搥碎如米右每骨一升以酒三升浸五日每空心

服一次 證類本草

治諸風濕腰膝皮膚疼痛及腿脚氣腫不履用威靈仙酒洗日乾為末空心温酒調下二錢或蜜丸酒下二三十丸 圖經本草

治諸風緩縱言語蹇澁遍身頑麻皮膚瘙痒用川烏炮去皮臍一两荆芥穗二两共為末醋糊丸桐子大每服二十丸温酒熱水任下日三服 聖惠方

治諸風用生草烏去皮五靈脂一两去石砂右為末酒打糊作丸如桐子大每以薄荷酒磨一粒姜湯下腸風下血烏梅湯下 濟生便宜方

治大風冷痰癖脹滿諸痺等病用大附子一枚炮過以酒漬春冬五日夏秋三日每服一小盞以瘥為止千金翼

治心風發狂用狗肝一具硝石黄丹各一錢半研勻劈破狗肝搽藥在內以麻縛水一升煑熟細嚼共津嚥下若乍作乍止甦不食痴迷者死斗門方

治心風狂走用白芥子蘿蔔子搗爛水調絞取汁灌之初一盞狂定次二盞吐痰而愈如無新子濃煎汁服亦可古愚自效方

治風邪取蝦蟇燒灰硃砂等分每服一錢水調下日

三四服神效 外臺秘要

治卒得風覺耳中恍恍者急取黑豆五升熬蒸使熱以耳恍之冷復易 肘後方

治氣虛卒倒仆者或遺尿者為虛風用人參黃耆㕮咀濃汁服之挾痰仍加竹瀝姜汁若白人多濕加附子行經必以童便煮過如鼾者亦屬氣虛

治風痱卒不能語口禁手足不隨而強直用伏龍肝五升以水八升和攪取汁飲之能盡為善 千金方

治卒中風頭面浮腫杵杏仁成膏酒調傳之 千金翼

治口眼喎斜天南星膏用天南星不拘多少為末用

生姜自然汁調左喎貼右右喎貼左如正洗去

治卒暴中風口眼喎斜用天仙膏天南星大一箇白芨二錢大草烏一箇姜蚕七箇右為末用生鱔魚血調成膏傅喎處覺正洗去　涇陽醫士王玨方

治心臟風熱氣壅膈脹用薄荷煎作茶飲立效　衛生易簡方

治大人小兒噤口風用皂角去皮炙研末同蘿蔔共好醋研以鷄[illegible]翎拂藥涂[illegible]甦　千金方

治暗風[illegible]地用[illegible]細辛[illegible]一字[illegible]鼻中

治鵶爪風婦人[illegible]如鷄

爪然疼痛於左右膝骨兩傍各有一小窩共四穴俗謂之膝眼各灸三壯即時愈攝生衆妙方

治風身體如蟲行取塩一斗水一石煎減半澄清温洗浴三四度亦療一切風疾斗門方

治走注風毒疼痛用芥菜子為末以鷄子白調付

治風毒骨髓疼痛芍藥二分虎骨灸一兩為末夾絹袋盛酒三升漬五日每服三合日三服千金方

治一切冷毒風氣用獨蒜搗爛和雄黄杏仁為丸空腹飲下三丸静坐少時證類本草

張仲景治三十六種風兼腹内血氣刺痛用紅花一

两分為四分酒一升煎服如口噤強開灌之效如不止再服〇又方紅花酒漬晒乾為末蜜丸如桐子大空心酒下四十丸 本草圖經

治三十六種風取馬齒莧五斗水一石熬令味盡去滓澄清再熬成膏入黄蠟一兩五錢每服酒調下一匙如破傷風塗患處 斗門方

治一切風疾失音用殭蚕十枚為末井花水送下日三服瘥 外臺秘要

治風疾鼻塌用蓽麻不拘多少去皮搗為一片黄連等分搥碎二件水浸七宿後空心日午卧時用浸

者水吞下一片浸水續添勿令乾者外臺秘要

治心風用水銀一两藕節八箇先研藕節令細次入水銀同研成砂子丸如鷄頭實大每服二丸磨刀水下一二服瘥肘後方

治因瘡中風將死用鼠燒為灰以臘月猪脂調傅瘡上奇效单方

治風癎用人參蛤粉右為末以豮猪心血為丸桐子大硃砂為衣每服三十丸金銭薄荷煎湯下醫林集要

○又方用麻仁四升以水六升猛火煑破牙生去滓煎取七合空心服丹溪心法

治遠年近日風癇心恙風狂中風涎沫潮溢牙關不開破傷風搐用皂角不蛀肥者一斤去皮弦切碎以酸漿一碗浸春秋三四日夏一二日冬七日揉去滓將汁入銀器或砂鍋慢火熬以槐柳枝攪成膏取出攤厚紙上陰乾頓用時取手掌一片以溫漿水化在盞内以竹筒灌入患人鼻孔中良久涎出為驗欲涎上將溫鹽湯飲一二口便止忌腥冷

治風癇久服其涎隨尿而出生明礬石一兩細茶五錢為末煉蜜丸桐子大每三十丸茶清下證類本草

治風癇并中風痰壅用黃丹白礬各二兩以新甎一

塊鋪紙於上先将丹鋪紙上次以礬鋪丹上以紙掩蓋却用十斤栁柴烧過為度出火毒研細每服一錢温酒調下聖惠方

治心熱風癇用爛龍角濃研食前服二合日再服廣利方

治癲癇結熱狂乱不避尊卑乳叫醜罵用巴豆仁五粒烏梅五枚取肉擣研二味滴水丸桐子大硃砂為衣每大人十丸加至十五丸小兒三五丸姜湯夜卧吞下通利三五行以白粥補之

治癲癇凡額上手中紋理赤者用莨菪子三升杵碎

以酒一升漬半日絞汁入磁器重湯內煑令可丸如小豆漸增如桐子大每服二十丸温酒送下每日發者服三日而愈間日發者服十日而愈五日發者服二十日愈半月一發者服一月而愈也

治癲癇用艾於陰囊下谷道正門當中間隨患人年歲數灸之良外臺秘要

治風癲引脇牽痛發作則吐耳如蟬鳴取天門冬去心皮暴乾擣篩酒服方寸匕若人久服亦能長生出外臺秘要

治驚癇精神恍惚言語錯謬歌笑無度兼五臓積冷

毒寒熱用狐肉一斤及五臟豆豉汁中細切煑以五味如食法或作羹或作炙食之

苦參丸治男婦風癇狂言罵詈苦參五月五日採不拘多少晒乾為末煉蜜為丸桐子大硃砂為衣每服百丸黃連湯下 王玎方

治卒得癇用吊藤甘草炙各二分水五合煑取二合服 圖經本草

治癇病越墻黷風忽倒時昏時醒用甘遂連珠者佳一錢硃砂一錢各研細末和勻以猪心血丸如桐子大每服二三十丸酸棗仁煎湯送下 經驗抄方

治癎風忽倒在地即昏即醒用紫蘇子二两砂鍋中炒黄色牛旁子一两炒殭蚕炒七錢硃砂三錢共為細末以生姜汁拌為散塊不時以姜湯調一匙下經驗抄方

治癎疾用金燈花根似蒜者一箇以茶清研如泥令患者日中卧清茶調下仍且卧日中良久吐出鷄子大物永不發不吐即以熱茶投之奇效良方

治五種癎疾痰涎壅塞牙関緊急目睛上視時或搐搦用石碌細研九度飛過十两附子尖烏頭尖蝎稍各七十粒共為末麵糊丸鷄頭實大每服用薄

荷汁半盞化下一丸更以温酒半合温服須臾吐
痰涎如牙關不開強開灌之

暑門

治伏暑引飲脾胃不利用半夏麯一斤甘草茯苓各半斤為末姜糊丸桐子大每服五十丸沸湯下

治伏暑引飲口燥咽乾或吐或瀉用白扁豆微炒厚朴以姜汁炙各一錢香薷去土二錢剉細水一盞入酒少許煎七分待冷不拘時服

治中伏暑邪入經絡体瘦肌熱推陳致新用柴胡四兩甘草一兩右為細末每服二錢水一盞煎八分食後熱服 衛生寶鑑方

治虛中伏暑煩燥引飲用草果一兩半附子炮一兩

橘皮二两甘草五钱㕮咀每服五钱姜十片水煎沉冷服衛生易簡方

治伏暑發熱腹痛嘔吐悪心用黄連去鬚一斤好酒三升以黄連酒煑乾為末麵糊丸桐子大每服三十丸熟水呑下

治中暑熱作渴用石膏五钱知母二钱甘草一钱細剉水一鍾半粳米一撮煎一鍾不拘時温服

治中暑身熱小便不利胃脘積熱用滑石六两甘草炙一兩為末每服三钱加蜜少許沸湯冷水任下如欲發汗以葱白豆豉煎湯調服

治中暑熱渴欲死取路上熱土大蒜等分爛研水調去滓飲之即活

治中暑熱失心燥悶用楝實煎湯浴洗良

治中暑霍乱取扁豆葉搗爛入醋少許生絹絞汁服之良○又方取青艾一把水三升煎至一升頓服亦效

治中暑發昏以新汲水滴入鼻孔用扇搧之重者取地漿灌則醒與涼水飲即死 救民易方

治中暑用細白麵以生姜汁及水和成餅晒乾為末收之遇傷暑每服二三錢涼水調服 衛生易簡方

○又方用新胡麻一升炒黑攤冷研為末以新汲水調三錢七或丸如弾子大以新水化下凡傷熱不可以冷物逼得冷即死○又方用大蒜三兩瓣細嚼温湯下仍禁冷水則愈證類本草

治中暑途中卒死者就取途中車輪土半升置臍上作窩令人溺尿於其中即醒千金方

治傷暑發熱頭疼用半夏茯苓甘草右為末姜汁作糊丸桐子大每服五十丸水下衛生寶鑑方○又方用半夏以好醋煮半時取出晒乾為末姜糊丸桐子大每服三二十丸姜湯下或新水下醫林集要

治傷暑毒取新升麻㕮咀微炒黑色取出候冷為末每以新汲水調三錢或丸彈子大新水化下一丸

治暑月傷熱取車輪土五錢冷水調澄清飲之（千金翼）

治傷暑用香薷一斤厚朴半斤黃連四兩右㕮咀每服二三錢以水煎服

治冒暑煩渴飲水過多心腹脹滿小便赤少用肉桂去皮赤茯苓去皮各五兩為末蜜丸每兩可作十丸每服一丸細嚼白湯冷水任下

治冒暑伏熱霍乱嘔吐小便不利頭目昏眩用白术澤瀉白茯苓等分剉細每服四錢水一盞姜五片

燈心十莖煎八分不拘時服

清暑生脉散用人參麦門冬五味子右剉以水煎服

丹溪心法

代茶湯清暑健脾燥濕生津止渴用白术一錢麦門冬去心一錢右剉以水煎服攝生衆妙方

濕門

治風濕相搏手足掣痛不可屈伸或身微腫用羌活附子炮去皮臍白术甘草等分細剉每服四錢水一盞半姜五片煎七分温服 簡要濟衆

治風濕相搏客在皮膚四肢少力關節疼痛用防已黄芪各一錢甘草白术各半錢水一鍾姜棗同煎七分熱服

治一切風濕痺四肢拘攣疼痛取蒼耳揣去刺為末三兩水一盞半煎七分去滓呷服不拘時

治諸濕腰痛四肢腫滿及酒傷胸脇刺痛口乾目黄

用甘遂一兩煮當歸陳皮各半兩為末每服三錢食前酒調下 千金方

治風寒暑濕下流遂成脚氣腫痛臀至膝或膝至足跟不能忍者用蒼术鹽炒五錢黃栢酒炒五錢水二鍾煎八分空心溫服一方加防巳如腫加威靈仙木瓜甚效 千金方

治風濕相搏麻痺無力用五葉金花曝乾為末每服一二錢當歸酒調下 證類本草

治腰脚濕痛用黑牽牛大黃白术各一兩為末滴水丸桐子大每服二十丸食以前生薑湯下如要快利

加至百丸 奇效方

治風寒冷濕搏於筋骨使筋攣掣痛行步艱難但是諸筋攣縮疼痛悉皆治之用茯神去皮木剉一兩乳香末一錢右入銀器内炒留兩分性為末每服二錢木瓜煎酒下 奇效良方

治風濕寒熱邪氣熱結黄疸小便不利用山茵陳煎服 千金方

治風濕相搏腰膝疼痛四肢重著不嘔不渴大便堅硬小便自利白术四兩附子一兩半甘草二兩㕮咀每服五錢水一盞半生姜五片棗一枚煎至七

分空心温服濟生便宜方

治風濕用蒼术一斤米泔浸以竹刀刮去黑皮晒乾半斤無灰酒浸半斤童便浸春秋五日夏三日冬十日掘一地坑以炭火燒紅去火灰將便酒浸术共投坑内封固一宿取术為末每服一錢空心塩湯或酒調下常服除濕壯筋明目證類本草○又方常服壯筋骨健步用蒼术不拘多少以米泔浸去粗皮細剉以酒拌炒乾為末每服二錢空心塩湯調下酒調亦可丹溪心法

治中濕骨節疼痛不能轉側及口噤不知人事用白

术一两酒三盞煎一盞頓服不飲酒以水代之奇效方

治膓胃受濕大便秘澁用枳椇為末每服二錢以蜜湯點服不拘時外臺秘要

治濕傷腎經腰重冷痛小便自利用附子炮去皮臍白术各一两杜仲去皮炒去絲半两剉每服四錢水一盞生姜七片煎七分空心温服

治寒濕氣疼痛取生姜汁半碗米醋一盞水膠四两熬稠入肉桂花椒皂角各一两攪成膏以帛攤貼患處

治一切濕腫心腹脹悶不思飲食取黑牽牛頭末二兩木通五錢為末每服三五錢臨卧生姜湯調服亦治諸積諸氣諸痛忌油膩物 肘後方

治濕痺風瘙癮𤺋痒并小兒赤遊風至心即用接骨草即蒴藋煎汁洗之效 奇效良方

治濕氣取旱芹為末麪糊丸桐子大每服三四十九空心温酒鹽湯下大能殺百虫

治傷濕用黃柏為末每服一錢百沸湯入生姜少許食前調服

治濕疼痛用鍊芥子為末用醋拌匀炭火上烘極

熱覆地少頃貼患處○又方用烧酒糟熱覆疼處
冷即易之不過六七次大效
治風濕疼痛紫蘇子四兩紫花地丁四兩共搗一處
放磁酒瓶内用烧酒三斤放入酒瓶内封固放于
鍋内煮三炷香每早晚各服一鍾溧陽醫士王玎方

傷寒門

治傷寒〻患二三日頭疼熱用葛根五两香豆豉一升細切以童便六升煎取二升分三服取汗忌觸風食如〻豆豉粥 南陽活人書

治傷寒四五日頭疼壯熱胸中煩悶痛用苦參五两烏梅二十枚細剉以水二升煎取一升分服 梅師方

○又方用烏梅十四箇食塩五合水一升煎取一半服吐之 活人書

治傷寒三五日忽有黄則宜服此取生烏麻油一盞水半盞鷄丁白一枚和之熱攪令勻一服令盡 梅師

方

治初感冒用帶鬚葱白七莖生姜一塊煎湯嚼下得汗即瘥

治傷寒心神熱燥口乾煩渴用秦艽一两細剉以牛乳一大盞煎至六分不拘時分二服 證類本草

治傷寒初起用好茱萸半两水一鍾半煎一鍾空心服 千金翼

治一切傷寒用甘草如中指長炙細剉以童便一升煎七合空心服日再服 孫真人食忌

治傷寒發黃心狂熱悶不識人事用大括蔞黃者一

枚新汲水九合浸汁入蜜半合朴硝少入作二服立瘥乾坤生意方

治傷寒發狂踰垣上屋用黄連寒水石各二錢為末濃煎甘草湯冷調下效怪症奇方

治傷寒發熱煩燥狂走妄言脉洪大舌卷焦黑鼻中如煙煤當以故青布新水浸之疊布數重搭於病人胸上須臾蒸熱再以新布漬之數次即效南陽活人書

治傷寒熱病唇口生瘡用黄柏削去粗皮取好者薄削以崖蜜浸之一宿將濃汁含之良如胸中伏熱

恐内有瘡飲三五合尤佳 梅師方

治傷寒病發豌豆瘡未成膿用黄連四两水三升煎至一升分服一方用青黛如棗大冷水研服

治傷寒咳嗽用半夏橘紅各三錢生姜五片水一鍾煎七分服及研細白礬蜜調下 千金方

治傷寒咳噫不止及噦逆不定用丁香一两柿蒂一两焙乾搗為末每服一錢煎人參湯下 簡要濟衆方

治傷寒如婦人得病雖瘥未滿百日不可與男子交合為陰陽之易病必拘急手足拳攣欲死者丈夫名陰易婦人為陽易速當汗之可愈滿四日不可

療宜令服此藥用乾姜四两為末湯調頓服覆被取汗得解手足伸遂愈南陽活人書

治傷寒瘥後交接復發欲死眼不開不能語用梔子三十枚水三升煎一升服衛生易簡方

治傷寒瘥後勞復食復用粗麯一塊搥碎水煑取汁服之

治傷寒病欲令不勞復取頭垢燒以水丸桐子大米飲服一丸外臺秘要

治篤病新起早勞及飲食過多致復欲死者土炒鱉甲為末白湯調服方寸匕

治傷寒腹中滿痛用百合炒一兩黄色為末不拘時米飲調服二錢即愈證類本草

治四時傷寒腿酸脚困渾身拘急頭疼或眩或悶發熱不思飲食用蒼术白芷麻黄荆芥等分為末和勻每服二錢用葱酒調熱服有微汗即解

治傷寒熱甚發黄及傷寒後留熱身面皆黄期年不愈用茵蔯山梔共水煎食後温服以退為度證類本草

治傷寒太陽病鼻衄者用茅花一把如無花用根每服水三鍾濃煎汁一鍾食後分二服〇又方導引一法教病人盤脚而坐用手交十指攀腦後風池

風府二穴乃是風門也向前叩首幾至於地如此連點一百二十數急以葱醋粥辣湯投之汗出立解

治傷寒初覺一二日頭疼發熱無汗鼻塞声重用細茶葉一撮胡桃仁五箇葱白七枝生姜二錢搗爛以水煎熱服衣覆取汗即解次日避風寒〇又方用麻黄菉豆葱白生姜等分右四味搗爛煎服衣覆取汗立愈〇又方用蒼术四錢荆芥二錢甘草一錢右剉作一劑水煎服千金方

治傷寒汗不出用白礬胡椒銀硃各一錢研末好酒

和丸男左女右握之汗出斗門方

治汗後結胸不解如服藥不效取童便二三盞服之神效千金翼

治傷寒汗後及吐下後虛煩不得眠少氣用大梔子仁四枚甘草三錢水一盞煎七分去滓溫服南陽活人書

治傷寒用烏梅三十枚去核以豆豉一升苦酒二升煑取一升半去滓服梅師方

治傷寒已八九日至十日大煩渴熱盛而三焦有瘡𧏾者多下或張口吐舌呵吁目爛口鼻生瘡呻吟

不識人事除熱毒止痢用龍骨半斤剉碎以水一斗煮取四升沉之井底令冷服五合漸漸進之恣意尤宜老少 千金方

治傷寒失下熱毒在胃發斑甚則煩躁譫語用玄參升麻甘草炙等分共四錢水一盞煎七分去滓溫服

治傷寒自痢發熱者用黄芩芍藥甘草右剉棗一枚以水煎不拘時服 濟生便宜方

治陰毒危急者能補男子精氣用黑豆不拘多少入鍋內炒熱用冬酒一碗入豆淬之就令以碗盒勿令

泄氣候溫取酒服之　千金方

治傷寒陰毒用烏藥一合炒令黑煙起入水一鍾煎三五沸服候汗出陽回立瘥　梅師方

治陰毒傷寒用芥菜子末以新水調如膏藥貼臍上汗出為愈

治陰毒傷寒四肢逆冷用茱萸一升酒和勻濕以絹袋二條盛蒸令極熱熨脚心通暢勻煖累熨有驗　聖惠方

治陰毒傷寒手足逆冷脉息沉細頭疼腰重用川烏頭乾姜等分為粗散炒令轉色待冷再為細末每

服一錢水一盞塩一撮煎取半盞温服 孫兆口訣

治陰症傷寒因女色者用陳皮一两炒焦以熱酒烹下濾酒飲之凡傷寒汗後不可飲酒

治傷寒陰症不服藥用黑豆一抄炒焦入酒一盞乘熱飲之汗出則瘥 千金方 ○又方用白礬枯椒椒為末以葱白搗泥和為丸納手心令掌握定挾於两大腿内側卧衣覆汗出為妙 千金方

治傷寒陰症腹痛用乾姜二两另為粗末附子一两生用去皮臍細切二味拌匀每服三錢水一鍾半煎至一鍾去滓食前温服○又方用乾姜半两并

草三两附子半两生用去皮臍切片右各為粗末拌匀每服三五钱水一鍾半煎至一鍾無時温服

○又方用乾姜炮良姜各三两右為細末酒煮糊丸桐子大每服三十丸空心米飲下 儒門事親方

治陰症腹痛取百草霜二钱枯白礬一钱俱研末以好黄酒熱調服汗出愈 救民易方

治傷寒時疫及傷風初覺頭疼身熱用帶鬚葱頭十寸切碎以醋一盞煎稀粥飲一碗乘熱吃下以被蓋汗出即解 證類本草

治傷寒時氣嘔逆不食用半夏半两湯浸洗七遍去

滑生姜一两同剉碎以水一盏煎至七分去滓分二服不拘時温服聖惠方

治傷寒時氣頭疼煩熱用皂角燒灰為末非時新汲水一盏生姜汁蜜少許和二錢服之聖惠方〇又方用葛根取浸汁一大盞豆豉一合煎六分去豉作二服汗出即瘥未汗再服心熱加梔子仁十枚南陽活人書

治時氣熱病用社中西南栢樹東南枝取曝乾擣羅為末酒調下一錢匕日三服

治時氣熱毒心神煩燥用藍靛半大匙新汲水一盞

調服　聖惠方

治時氣三日外忽覺心滿堅硬或手心熱変黃不治殺人以瓜蔕七枚搗碎如豆許吹入鼻中令黃水出殘末水調服之得吐黃水一二升瘥　南陽活人書

治時氣遍身如金色瓜蔕四十九箇丁香四十九枚用乾鍋内焼令煙盡為度研末用一字納鼻中黃水出小兒用半字　南陽活人書

治時氣煩渴取生藕汁一盞入生蜜一合令匀分二服　聖惠方

治天行避瘟切松葉如米酒服方寸匕日三服避五

年瘟

治天行後吐逆不下食食入即出取羊肝如食法作生淡食不過二三度即愈 外臺秘要 ○又方以雞子煮三五沸取出以水浸之内熱外熱則吞之良

治天行瘟疫傳染凡患瘟疫之家將出病人衣服於甑上蒸過則一家不染若親戚鄉里有患瘟疫欲去看問先將清油抹鼻孔内候出外又將紙撚於鼻内探取噴三五箇則不染 備急方

治天行熱病手腫欲脱者以稻穰灰汁漬之佳

治天行熱病若發赤黑班如疹用青木香二两水二

升煎一升頓服效（傷寒類要）

治天時疫癘者常以東行桃枝一把剉煑浴佳

治時行病大熱狂走解諸毒取人屎乾絶者擣細末以沸湯沃服之效（證類本草）

治時病發豌豆瘡及赤瘡心煩狂躁氣喘妄語用龍腦香一錢研細旋滴猪心血丸如芡實大每服一丸紫草煎湯下少時心清便定瘡即收散（本草集要）

治時氣盛熱变為黄疸用熊膽磨水飲之（本草集要）

治時行熱病發汗用浮萍草一兩四月十五收者麻黄去根節桂枝附子炮裂去皮臍各半兩四味擣

碎每服二錢 圖經本草

治時氣餘熱不退煩燥發渴四肢無力不能飲食用牛蒡根擣絞汁不計時服一盞效 證類本草

治時氣五六日心神煩燥不解取竹瀝半盞新汲水半盞和勻不拘時服 千金方

治傷寒時氣瘟病毒攻手足腫痛欲斷細剉黄栢五斤以水三升煮浸之 傷寒類同

治傷寒及時氣瘟病頭疼壯熱脉盛用真黄丹塗身令遍向火坐令汗出效○又方取艾葉三升水一斗煮取一升頓服取汗 肘後方

治瘟病狂言心燥結胸垂死用苦參一二两水二升煑取一升頓服之有汗無汗或吐皆瘥證類本草

治瘟病食勞用杏仁五两醋二升煎取一升頓服取汗瘥傷寒類要

治瘟疫用葱白連鬚十莖切碎以水煎湯入醋少許乘熱歙之衣覆汗出即解

斷瘟病令人不相傳染密以艾灸病人床四角各一壯勿令人知經驗良方

治熱病狂言用大黄五两剉炒微赤擣為散以臘月雪水五升煎如膏每服不計時候冷水調下半錢

匕

治狂邪發悪或披頭大叫欲殺人不避水火用苦參末蜜丸桐子大每服十九薄荷湯下杜壬方

治人狂顛不識諸人以水研伏龍肝灌服方寸匕日三服千金翼方

治熱病及時疰心躁狂亂奔走狀似癲癇言語不定久不得汗不知人事者取人中黃不以多少入大罐内用泥固濟大火煅半日去火候冷取出於地下以盆盖之待半日研細末新汲水下三錢效斗門方

治熱病口乾小便澁取井蕨去皮盡令食之嚥汁若口痛擣取汁服之○又方用萎蕤五兩煑汁服之

治熱病新瘥早起及多食復發用梔子仁十枚水三升煎一升去滓溫服令微汗如食不消加大黃四錢同煎斗門方

治熱病頭疼發熱用括蔞一枚大者取其瓤細剉置磁碗中用熱湯一盞沃之盖却良久去滓不計時頓服

治熱病不解而下痢欲死用龍骨半斤擣研水一斗煑取五升候極冷稍飲得汗即愈肘後方

治熱病有䘌上下唇有瘡虫蝕人臟用豬胆一枚苦酒三合同煎三二沸滿口飲之蟲立死而愈梅師方

治大熱病心煩以槐子炒為末酒服方寸匕傷寒類要

治熱病令人不相染取桃樹蟲研爛水調服方寸匕

○又方用好光明雄黃為末每用一次吹鼻中與病人同床則不傳染涇陽醫士王玎方

治勞復取雄鼠糞兩頭尖者二十粒豆五升半煑一升一服奇效良方

瘧疾門

治瘧疾五月五日用獨蒜不拘多少細研和黃丹圓如鷄頭實大每服一丸新汲水面東服之○又方用常山末二錢烏梅四枚研爛酒調下聖惠方○又方用桃仁一百枚去皮尖細研成膏入黃丹三錢調勻丸如桐子大每服三丸當發日早面東温酒調下五月五日午時合此丸尤妙○又方用乾姜良姜等分為末每服一錢水一盞煎七分温服外臺秘要○又方用瓜蒂二箇搗碎入水半盞浸一宿發日服吐即愈衛生易簡方○又方用隔年全曆日端午

日午時燒灰麵糊丸如桐子大發日早以無根水送下一丸○又方用人參常山青蒿等分為末每服二錢未發前一日以好酒一大盞調勻分二服待黃昏半夜天明各冷飲一服○又方取百草霜黃丹等分細研每服二錢於發日空心米飲調下不過二服即瘥治小兒用蜜水調下○又方用常山一兩剉細酒拌蒸過晒乾檳榔三錢共為細末醋糊丸如桐子大當發日空心溫酒送下五十丸至午食粥○又方用桂枝青蒿各為末若寒多用桂多蒿少熱多蒿多桂少三七分互用每以生姜

連皮搗汁和熱酒調服以衣被盖汗即愈○又方用雄黄苦瓜蒂赤小豆為末每服半錢温水調下以吐為度○又方用狗蠅一箇去翅足以黄蠟丸丸當發日冷酒吞下備急方○又方用獨蒜十二箇煨熟桃仁一百箇去皮尖雙仁同搗爛入黄丹丸如雞頭實大每服三丸當發日清晨以温酒一盞面北或面東吞下

治瘧疾諸藥不應用茯苓常山甘草三味等分剉壯人八錢弱人六錢用好酒一鍾水一鍾煎至一鍾露一宿發日早面東温服如熱多加水寒多加酒

治瘧疾大熱煩燥取生地龍三條研細入生姜薄荷蜜少許以井水調服 救民易方

治久患勞瘴瘧用鱉甲三兩塗酥炙黄為末臨發時酒調下二錢匕

治久瘧用驢脂和烏梅肉丸未發時酒服三十丸○又方用牛膝二握切咀以水四升煮取二升分三服未發前服臨發再服 千金方 ○又方用天南星劈破二片剜空内入白砒末三錢二片相合以泥固濟炭火煅存性搗為末以菉豆粉打糊為丸如豆大每服一二丸臨發日五更温茶清白麵湯皆

可下忌熱物腥葷○又方用白砒雄黃菉豆粉各
二錢為末以麵糊丸筋頭大硃砂為衣每服一丸
用桃柳條各七寸煎湯露一宿臨發日空心出外
面向東服忌熱物魚腥油膩十日 乾坤生意方
治諸瘧疾用蛇蜕一條或三五條以炭火燒存性研
為細末每用一字無根水下未發前一時服○又
方用辰砂阿魏各五錢研細勻糊丸皂角子大每
一丸空心人參煎湯下比諸藥不傷脾胃最為穩
當
治氣虛瘧疾多寒少熱或單寒者用附子一枚炮裂

以塩水浸再炮七次去皮臍剉細分作二服水一盞姜七片棗七枚煎七分當發日空心温服未止再服

治氣虚脾寒瘧疾不愈振寒少熱面青或單寒者或大便溏泄小便反多不能下食用草果仁附子炮各等分㕮咀每服半两水二盞生姜七片棗一枚煎七分不拘時温服

治瘧辰砂丹用信一錢雄黄二錢黑豆六十粒或二两重右為細末端午日合忌婦人鷄犬以粽尖為丸如豆大硃砂為衣每一丸未發時無根水下儒門

事親

〇又方用川山甲以土炒熟木鱉子各研和勻空心温酒調服丹溪心法

治瘧毋停水結腹脇堅痛用芫花炒二两硃砂細研五錢右為細末煉蜜丸如小豆大每服十丸濃煎棗湯下

灸瘧法不問男女於大椎中第一骨節盡處先針後灸三七壯立效或灸第三骨節亦可

灸瘧法與臍正對後穴命門灸三壯即止張真人万應方

治脾胃聚痰發為寒熱用生姜四两連皮搗汁一盞夜露至曉空心冷服

治瘧病發熱身黃小便不利用赤茯苓白芍藥瞿麦各一两右擣碎每水煎分服

治瘧醒脾用高良姜二两為末以猪膽汁和丸桐子大煎紫蘇湯空心下二十丸

治五般瘧疾用夜明砂為末每服一錢冷茶清調下大效〇又方用葱一技猪胆一箇擣爛入麵丸如桐子大硃砂為衣每用一丸綿裹塞鼻中男左女右〇又方用隔年全曆日一本燒灰牛胎衣一具用桑柴燒存性右為末麵糊為丸桐子大每服一丸臨發日面東無根水下　以上涇陽縣醫士王玎方

泄瀉門

治水瀉不止用木鱉子五枚去殼毋丁香五粒麝香一分爲末米湯調作膏納臍中外以膏藥掩之扶壽精方○又方用生姜四五兩切作極細如絲以白麪稠糊調和得所鍋內用香油煎熟蘸醋蒜食之即止○又方用畧熟韭菜以油塩搗蒜調和食之亦止經效良方

治水瀉用黄連厚朴各四錢以生姜汁拌匀炒乾仍用生姜三片水一鍾煎七分温服

治水瀉無度乾姜末米飲調一錢服立效出孫真方

治水瀉腹中響如雷鳴者用軟石膏火煅研末以老米飯丸桐子大飛過黃丹為衣每服二十丸米飲下

恠症奇方

治脾經受濕泄瀉不止米穀不化臍腹刺痛用黃連去鬚吳茱萸去梗炒白芍藥各五兩為末麪糊丸桐子大每服三十丸空心米飲下

治氣虛傷冷暴作水瀉日夜三五十行腹痛不止夏月路備急名朝真丹取硫黃二兩牛角研令極細枯白礬半兩同細研勻水浸蒸餅去水磨爛和丸如桐子大每服十五丸至二十丸温米飲或塩湯

下孫尚藥

治暴瀉如水用生硫黄白滑石‥為末米飲調服二錢立止醫林集要方

治元臟氣發久冷腹痛虛瀉應急大效名玉粉丹用生硫黄五兩青塩一兩細研以蒸餅為丸如菉豆大每服五丸熟酒空心服以食壓之經驗方

治臟腑不調泄瀉用乳香一兩肉豆蔲一兩麪裹煨熟為末以陳米粉糊丸如桐子大每服五十丸空心米飲下易簡方○又方用鷄爪黄連不拘多少碾為細末用大蒜煨熟去皮研和丸桐子大每服

三十丸空心米飲下

治老人脾臟泄瀉心氣不和精神倦怠不思飲食用高良姜青木香各一两右為末煮棗肉丸桐子大每服乾姜湯下十五丸至二十丸安老方

治腎泄用五味子二两吳茱萸半两細粒菉色者右二味炒香熟為細末每服二錢以陳米飲調下

治久患脾泄神聖香黃散主之宣黃連一两生姜四两一處以慢火炒令姜乾脆色深去姜取連擣末每服二錢匕空心臈茶清下甚者不過二服傳濟方

治脾泄氣痢等以肉豆蔻二两米錯和麪裹之置灰

火中煨令黄焦和麪搗末以炒了樵子末一两相合又炒焦糜米為末煎作飲下前二味末三錢日夜二服

治夏月脾胃傷冷滑腸泄瀉肚痛搗胡椒末不以多少研爛捜和手心内揉匀丸桐子大每服四十九食前煎陳米飲吞下 奇效良方

治泄瀉轉筋用木瓜艾葉各三錢水二盞煎盞半分三服即效○又方用生姜一塊煨艾葉一把水煎熱服○又方用木瓜艾葉各二錢水一盞煎七分入醋少許塩一撮服之 易簡方

治吐瀉不止或輙轉多四肢發厥虛風不省人事服此四肢漸煖神識便省名回陽散用天南星為末每服三錢入京棗三枚以水煎服未省再服圖經本草

治時暑暴瀉壯脾溫胃進食及療飲食所傷胸膈痞悶等疾用神麯炒蒼朮米泔浸二宿焙乾等分為末水煮麫糊丸桐子大每服三十丸不拘時米飲送下

治泄瀉久不止及脫肛用五倍子一兩枯白礬三錢為末水糊丸桐子大每服五十丸空心米飲下救民

治日久冷瀉不止用鹿茸五錢酒浸乳香三錢肉豆蔻一两每箇作两片入乳香在内麪裹煨右為細末陳米飯為丸每服五十丸空心米飲下易簡方

治久病大腸滑泄瀉用五倍子五两為末面糊丸桐子大每服十五丸米飲下日三服

治瀉用肉豆蔻五两滑石春夏二两半秋二两冬一两二錢半右為末飲下或水調服丹溪心法○又方用隔年陳麯二两炒茴香五錢生姜一两為末每服五七錢白湯下或作丸服○又方用破故紙炒四两肉豆蔻炮二两為末大肥棗四十九枚生

姜四两同煑棗爛去姜取棗肉研膏入藥和丸桐子大每服五十丸鹽湯下衛生衆妙方○又方用車前子一味研末米飲下二錢匕即瘥歐陽文忠公家論　又方用生姜一塊去皮破分二片刮去姜心納白礬末填滿以紙包火中煨令乾熟取出以碗盒地上一宿火毒出却以沸湯半盞冷水半盞相和謂之陰陽水將姜細嚼水下備急方○又方用猪肝一二葉以竹刀分作薄片相連研膩粉極細末二三錢摻傳肝内相合以香油鍋内煎熟任食即止○又方不分新久取樗根白皮乾為末麵

糊丸豌豆大每服四五十丸食前米飲下

治泄瀉手足冷腹痛不渴用人參白术乾姜甘草水二盞煎八分食前服如中寒重者加附子

治大腸虛滑泄不已用鍾乳粉一兩肉豆蔻煨五錢右爲末煮棗肉杵丸桐子大每服七十丸米飲下

〇又方車前子末二錢沸湯服

痢疾門

食治老人脾胃氣冷痢白膿腰脊疼痛瘦弱無力用鯽魚肉九兩切作鱠豆豉七合乾姜半兩橘皮末半兩右以椒醬五味調和豆豉汁沸下鱠煮熟空心食之日一服 安老懐幼方

食治老人脾胃冷氣痢下不止右赤石脂末五兩和麪七兩搜作臛頭煮熟下葱醬五味空心食之三四服皆愈

食治老人脾胃氣弱數痢用黄雌雞一隻如常法退净洗以五味椒醬刷遍火炙令熟空心漸漸食之

亦甚補益臟腑

食治老人脾胃虛氣頻頻下痢瘦乏無力用猪肝一具去膜切作片洗去血好醋一升右以醋煮微火令盡乾即空心常服之亦明目溫中除冷氣

食治老人脾胃虛弱冷痛泄痢無常不下食用蜀椒一兩炒擣為末白麪四兩右和椒拌之令勻即煮空心服之每日一服尤佳

食治老人脾胃虛冷泄痢水穀不分細切薤白一握粳米四合切葱白三莖相和作羮下五味椒醬薑空心食常作取效

食治老人脾胃虚弱食不消化泄痢無定用神麯二兩炙擣為末青粱米四合淘浄相和煑粥空心食之常三五服立愈

食治老人痢不止日漸黄瘦無力不多食用黍米四合阿膠一二錢炒珠為末右煑粥臨熟下膠末調和空心食之一服尤效

食治老人水氣病身體腫悶滿氣急不能食皮膚欲裂四肢常疼不能屈伸用鯉魚肉十兩葱白一握麻子一升炒細研右以水濾過麻子汁和羹作臛頭下五味椒姜調和空心時漸食之常服尤佳

食治老人痢下赤白及水穀不變腹痛採馬齒莧一斤淨淘洗右煮令熟及熱以五味或姜醋漸食之則瘥

食治老人冷熱不調下痢赤白腹痛不止炙甘草一兩切生姜一兩去皮切烏豆一合右以水一升煎取七合去滓空心服之不過三日愈 養老書

食治老人赤白痢刺痛不多食痿瘦用鯽魚肉七兩去刺橘皮末一分青梁米四兩右相和煮作粥投下五味椒醬葱調和空心食之二服可愈亦治痨疾

食治老人赤白痢日夜熱不止用車前子五
合綿裹以水二升煎半汁青粱米三合右
將煎汁煮成飲空心三服最除熱毒
治初得赤白痢用甘草一兩炙肉豆蔻四兩剉水三
升煎一升分服本草集要方○又方用莧麻子一
兩炒令香熟為末以蜜漿調服一錢不過再服○
又方用山豆根擣末蜜丸桐子大空心煎水下二
十丸三服自止○又方取地錦草即雀兒臥單草
晒乾為末每服一錢空心米飲調服○又方煮苦
苣服之效奇效单方○又方用甘草一尺炙劈破

以淡漿水醮二三度又以慢火炙之後用生姜去皮半兩二寸以漿水一升半煎取八合服之立效

治赤白痢所下不多遍數不減用密陀僧三兩燒令黃色細研如粉每服醋茶調下一錢七日三服聖惠方

治久近男婦老幼赤白痢用胡椒 紅花等分為末以小棗熟肉為丸如桐子大白麪為衣清晨赤痢甘草湯下三十一丸白痢姜湯下三十一丸先通為度次日早空心不拘赤白更以白熟水下

治痢下赤白水穀宿食不消者為寒可療用酸石榴

皮燒乾研末米飲服方寸匕 肘後方

治赤白痢下令人下部重急後重腹疼痛出膿血狀如魚腦日夜數十度黃連一升酒五升煎取一升半分再服 出肘後方

治赤白痢下水穀食不消以麴炒粟米粥服方寸匕日四五次止 肘後方

治赤白痢以葱一握切細和米煮粥食之 食醫心鏡

〇又方用乾姜好墨各五錢為細末以醋漿水和丸桐子大每服三十丸米飲下日夜可六七服年老患痢欲垂死者服此立瘥

治白痢用茶葉和蜜煎服

治赤痢以茶葉和生姜煎服 備急方

治痢下先白後赤若先赤後白為腸蠱牛膝二两搗碎以酒一升漬經一宿每服飲一二盃日三服

治臓毒赤白痢取香椿根白皮日乾為末米飲下一錢立效 經驗方

治痢疾用草烏去皮尖三两内一分燒存性一分火煨一分略炒右為末麪糊丸桐子大每服五七粒泄瀉熟水待冷下紅痢黄連甘草湯下白痢乾姜湯下大便有血烏梅湯下忌熱物腥葷油膩等物

治痢應效如神用小棗一枚去核巴豆一粒去殻將豆入棗内以桑皮紙包數重燒熟去紙豆將棗食之米飲送下攝生衆妙方○又方用粉草四指長切碎青皮陳皮各一撮用酒一碗將前藥入磁罐内塞口勿出氣於沸湯鍋内煮一炷香取出待溫服之○又方用黄蠟一錢乳香没藥各一分先研細末以黄蠟化開和丸桐子大每服三丸淡姜湯下○又方用川烏頭一箇好者柴灰火燒烟欲盡取出地上盏子盒良久細研用酒丸如大麻子每服三丸赤痢用黄連甘草黒豆煎湯放冷吞下如

白痢用甘草黒豆煎湯放冷吞下如瀉及肚疼水吞下毎於空心服之忌熱物經驗方○又方取杜蒺藜為末以酒調二三服取效儒門事親方○又方用豆豉為末研蒜為泥二味相和丸桐子大毎五十丸食前米飲服

治痢臍下痛用茱萸一合以黒豆湯服下立效

治痢無問老少日夜百餘度者取乾楮葉三兩為末煎烏梅湯服方寸匕日再服亦用羊肉裹末内谷道痢出即止

治久下痢經時不止者此名休息痢用龍骨四兩如

小豆大碎以水五升煮取二升半令冷分為五服或以米飲和丸服十丸○又方取大蟲骨炙令黃焦擣末飲服方寸匕日三服

治痢下積久不瘥腸垢已出梅實二十枚水一盞煎至六分去滓食前分二服 肘後方

治久痢黃連木香各一兩肉豆蔻一枚右為粗末以雞清和作餅新瓦上焙乾為細末米糊丸空心米飲下三十丸

治赤白久痢取樗根白皮細剉以水煎服或蜜炙焙乾為末空心米飲調一錢服再服 本草集要

治久白痢膿下取古磚燒熱以綿布物裹坐之以煖
溫之如小腹多冷亦用煮汁服之亦可

治久赤痢用生姜甘草石榴皮各剉每服共一兩以
水煎服日二服

治赤痢熱下久不止黃連末雞子白丸飲服十九三
十九即瘥

治大人下焦熱血痢及小兒疳痢用地榆濃煮汁飲
之效如虛寒人冷痢勿用

治熱毒純血痢宣連六兩以水七升煮取三升半夜
露星月下平旦空腹頓服之少卧將息出千金方

○又方乾姜急於火燒黑莫令成灰磁碗盒待冷爲末每服一錢米飲調下出集驗方○又方用梔子仁十四枚爲細末蜜丸如桐子大每服三十丸米飲下日三服效葛洪方

治熱瀉痢取車前草擣爛以生絹絞取汁入蜜煎服救民易方

治熱痢用苦參剉炒帶煙出為末每服一錢米飲調服奇效良方

治熱痢不止用生地黄五錢地榆三分甘草一分㕮咀如麻豆大以水二盞煎至一盞空心分二服日

二服

治氣痢瀉裏急後重每服用黃連末一錢乾姜末半錢空心溫酒調服　奇效方

治一切痢瀉用五倍子爲末醋糊丸桐子大赤痢甘草湯白痢乾姜湯下三十丸或用陳皮艾葉煎湯下

治水痢百病用馬蘭子六月六日麪炒令黃色等分爲末空心米飲調服方寸匕如無六月六日麪時常麪亦得或牛骨灰亦得○又方用馬蘭子乾姜黃連各等分爲散熟煑湯取一合許和二方寸匕入腹即斷冷熱皆治常用神效　張仲景方

治水穀痢久不瘥用厚朴黄連各三兩水三升煎一升空心服

治寒痢切乾姜如大豆米飲下六七十枚日二夜一服痢青色為寒痢累服得效肘後方

治腸胃虚弱冷氣乘之臍腹攪痛下痢赤白用赤石脂乾姜炮等分為末米糊丸桐子大每服三十丸空心米飲下濟生便宜方

治冷痢腹痛不能食肉豆蔻一兩去皮以醋和麪褁令灰火中煨黄焦擣末非時粥飲下一錢匕聖惠方

治休息痢及疳瀉用黄蠟如棗二塊入銅杓内化開

入雞子清黃調匀煎熟空心食之奇效單方

治休息痢十餘年不愈者用烏龜每用火煨如法事淨炒米粉入胡椒五十七粒好酒煑如羹空心食之效

治暴痢用小鯉魚一枚燒為末米飲服之大人小兒俱可服經驗方

治暴瀉痢取百草霜研細末空心米飲調下二錢醫林集要

治卒下痢用黃連五兩生姜一斤右二味㕮咀以水五升煑取一升頓服未止更合服效千金方

治瀉痢草烏頭三兩一兩生一兩熟炒一兩燒存性

研爲末以醋糊爲丸如菉豆大每服五丸空心服瀉用井花水赤痢甘草湯下白痢乾姜湯下赤白痢生姜甘草湯下脩真秘訣

治丈夫婦人小兒痢患木香一塊方圓一寸黄連半兩二味用水半升同煎乾去黄連只薄切木香焙乾爲末作三服第一橘皮湯次二陳米飲次三甘草湯下妙出孫尚藥

治積痢脱肛將枳實石上磨令滑鑽著柄炒微黄爲末蜜塗肛上熱熨之即止

治噤口痢乃胃熱甚之故用人參一兩黄連五錢姜

汁炒和作一服水煎終日呷之但得一呷一咽即效久痢加木香奇效良方

治噤口赤白痢久不愈者用川芎罌粟殼去蒂蜜灰各一兩搗細末每服八分空心蜜湯調下千金翼

治噤口痢不思飲食用蓮肉不拘多少搗末每服二錢蜜水調服丹溪心法

治噤口痢累試累驗絶勝諸方用黄連三錢人參一錢五分水一盞半煎七分服或灌温服藥入口即甦○又方用糯米半升入生姜汁浸炒米化爲末每服三錢白湯調下○又方用鯽魚撚去腸與肚

入白礬一大豆許煨熟入塩醋吃不過二枚與痢俱效奇效單方○又方用丁香半兩蓮肉一兩爲末以陳米飲調服衛生易簡方○又方用蜂蜜砂糖幷姜汁湯下瀉用老米飲下惟症奇方

治痢疾取初生小王瓜數條同蜜食即愈

治赤白痢疾脫肛用枯白礬末二錢入雞子内用綿封固入灰火煨熟空心食之忌油膩

治赤白痢幷泄瀉用枯白礬不拘多少爲細末醋糊爲丸如芡實大每服五七丸赤白痢甘草湯下泄瀉乾姜湯下

治三歲以下赤白痢疾泄瀉枯礬半斤黄丹水飛七次官粉炒石膏煅七次各四兩右爲末入棗肉擣千餘下丸如桐子大每服一丸揷于針上放于灯上燒如炭火紅研極細赤白痢甘草湯下泄瀉陳穀米湯下

治赤白痢疾幷泄瀉不止口乾日夜飲水無度用涼水一中沸湯一中和匀任意飲之即止以上涇陽王玎方

霍亂門

治霍亂吐下不止欲死生姜五兩牛兒屎一升切姜以水四升煎取二升分温服梅師方○又方用艾一把水三升煮取一升頓服外臺秘要

治霍亂吐下後大渴多飲則殺人黄粱米五升水一斗煮三升澄清飲服之

治霍亂煩燥坐卧不安葱白二十莖大棗二十枚水三升煎二升分服梅師方

治霍亂煩燥用亂髮如雞子大塩湯三升和服之不止再服

治腹滿不能服藥煨生姜綿裹納下部冷即易之
治霍亂腹痛吐下用桑葉搗絞取汁服一盞如冬用
乾者以水煎服○又方取桃葉三升切以水五升
煮取一升三合分二服外臺秘要
治霍亂吐痢腹痛等疾高良姜炒令焦香一兩剉水
三盞煎取二盞半去滓下粳米二合煮粥食之瘥
聖惠方
治大瀉霍亂不止附子一枚重七錢炮去皮臍爲末
每服四錢水兩盞鹽半錢煎取一盞溫服立止
治五臟中寒口噤失音四肢强直兼胃腕停痰冷氣

刺痛及胃虛感寒嘔吐不止用人參白术乾姜甘草等分剉細每服四錢水一盞煎七分温服治諸症有加減

治霍亂吐瀉用白礬飛過末每服一錢以沸湯點服攝生衆妙方○又方取鹽一撮醋一盞同煎八分温服或鹽梅鹹酸皆可煑服○又方取舊屋中倒掛塵沸湯澄清飲之甚忌飲食入腹即死飲冷水不妨○又方用菉豆胡椒各四十九粒研碎水煎服如渴甚以新汲水調服衛生易簡方

治霍亂吐瀉但有一點胃氣存者服之回生用陳皮

去白藿香葉去土各半兩右作一服水二鍾煎至八分不拘時服 醫方選要

治霍亂吐瀉煩燥用滚熱水半盞冷水半盞和一處以伏龍肝如胡桃大一塊入水化開澄清飲之即安

治霍亂心腹脹痛煩滿氣短未得吐下飲好醋三盞老小羸者飲一二盞 食醫心鏡

治霍亂心悸熱渴用糯米水淘取米泔汁任意飲之

治霍亂心痛痢無汗方取梨枝葉一大握水二升煎取一升服 梅師方

治霍亂心腹脹痛煩悶氣短未得吐下若轉筋燒梔子二十枚研末熱水調服證類本草

治霍亂心煩悶亂渴不止取糯米三合水五升擣研和蜜一合取汁分二服楊氏產乳方

治乾霍亂上不得吐下不得泄身出冷汗心氣欲絕用青白好鹽以溫水入鹽調勻此湯入口即吐絕氣復通出本草○又方用鹽一大匙熬令黃色入童子小便一升二物溫和服之少頃吐下即愈

治霍亂醫所不治秘方用童女月經衣和血燒灰爲末酒服方寸匕百方不瘥用此則瘥千金方○又方

燒舊木梳灰爲末酒服一枚小者求瘥○又方取車轂中脂塗足心下瘥○又方用高良姜五兩炙焦剉細以酒一升煎三五沸頓服立止○又方用山豆根搗末橘皮湯下三錢經驗方○又方搗苦苣絞汁飲之愈奇效單方○又方用姜汁炙枳實香爲末非特新汲水調二錢服亦佳聖惠方○又方取釜底下煤半錢已下又於皂額上取少許以沸湯一盞投煤其中急攪數拾下用碗蓋之汗出通口微呷一兩口吐瀉立止經驗方

治霍亂不吐不下用丁香十四粒爲末沸湯下不瘥

更再煎服

治霍亂轉筋用皂角末吹一小豆入鼻中得嚏便瘥○又方轉筋以塩一升水一升半作湯洗漬之效范王方○又方取栢枝煎湯淋洗○又方用梔子仁三枚爲末新汲水服下立效葛洪方○又方用香薷濃煎汁服半升無不瘥者若四肢煩冷汗出而渴者加蓼子同煎飲之○又方先以煖帛褁脚後取栢木細剉煑湯淋之經驗方

治轉筋不止者男子以手挽其陰牽之女子以手挽其乳近左右邊千金方

治轉筋攣急不得屈伸者用薏苡仁生爲末每服二錢米飲調下無時日進三服

治轉筋入腸中欲轉者取釜底墨末和酒服之瘥

治霍亂注痢不止轉筋入腹欲死生姜三兩擣爛以酒一升煎三四沸頓服外臺秘要○又方用黑驢屎飲之即止○又方乾柿餅煎湯服

傳信尤易方卷之一終

傳信尤易方卷之二

易州醫官鄭登檢閱
涇陽醫[illegible]王[illegible]正

頭痛門 附頭風

治頭痛用川芎一錢半茶葉一錢以水煎熟服 救民易方

○又方用細茶香附子川芎各一錢以水一盞煎八分臨卧服下即止○又方用皂角為末吹入鼻中得嚏則止 備急方 ○又方用大蒜一枚去皮研取汁令患人仰卧垂頭以筋蘸點入鼻中急入腦眼中淚出瘥○又方附子炮石膏煆等分為末入腦麝少許茶酒下半錢

治頭痛煩熱口乾小便赤少炙蜂房一錢二分水二

升煎取八合分二服當利小便諸惡毒隨小便出

衛生易簡方

治積年頭痛用白芷末三錢以茶荊芥煎湯下

治頭疼每遇天陰風雨先發者用桂心一兩為末以酒調如膏敷頂門或貼頭角效

治血虛頭痛自魚尾上攻者是病在左瘦人多患之用川芎當歸白芍藥剉水煎服一方加黃芩酒浸透晒乾

治傷風感冒頭痛用白芷生姜等分濃煎湯一鍾熱服少睡取微汗愈入豆豉同煎尤妙

治頭痛欲裂當歸二兩酒一升煑取六合飲之再飲外臺秘要

治因虛頭痛以人參一兩川芎五錢㕮咀以水煎服甚效攝生衆妙方

治時氣頭痛不止用朴硝二兩擣羅為散用生油調塗於頂上聖惠方

治偏正頭疼取穀精草一兩為末以白麪調攤紙上貼患處乾則易之○又方用芎藭細剉酒浸服之佳斗門方

治偏頭痛用生蘿蔔汁一蜆殻仰卧注之鼻左痛注左右痛注右左右痛俱注立效○又方蓽撥為末

令患者口中含水，左邊疼以左鼻吸一字，右邊疼以右鼻吸一字，甚妙。經驗方　○又方用雄黃、細辛等分，研令細，每用一字已下，左邊疼嗅入右鼻，右邊疼嗅入左鼻孔中。博濟方

治偏正頭疼，并夾腦風，連兩太陽疼痛，以白殭蠶研末，以茶調服。

治頭風至驗，以附子一箇，生，去皮臍，用菉豆一合同入銚子內煑，豆熟為度，去附子，服豆立瘥。每箇附子可煑五服，後為末服之。○又方用端午日採蒼耳草二兩、茵蔯一兩、甘草半兩，為末，每服五錢，熱

酒或熱茶調下○又方用川芎當歸蒼耳子等分為末每服三錢臨卧茶清調服○又方用細辛草烏等分黄丹少許為末吹入鼻中○又方用川烏極大者一枚河水煮七次剉碎鹽炒黄細辛四兩酒浸茶芽半斤為末入麝少許每服三錢食後臨卧茶清調下少時更以熱湯催汗出或鼻出涕為度○又方用香附四兩川芎二兩右為末每服一錢清茶調服○又方用杏仁一升去皮尖雙仁水研絞汁熬如膏和酒或羮粥内攪二匙食後服十日後汗出永瘥

治初得頭風取童便和葱豆豉作湯飲佳衛生易簡方

治頭風頭痛煩燥失音及小兒驚癇取淡竹葉一握煎湯服

治頭風痛用大黑豆三升炒令無聲先備盛一斗二升瓶一箇內盛入清酒九升乘豆熱即投於酒瓶內以泥封固七日後取任意常服甚效○又方用白芷淨為末煉蜜丸彈子大每一丸荊芥湯調下

治頭風旋取蟬脫微炒為末每服一錢匕溫酒調下衛生易簡方○又方用九月九日採黃白菊花曝乾糯米一斗蒸熟菊花五兩拌勻多用麪麯醞酒如常

法候熟每次煖飲一小盞
治頭腦風中冷面上遊風目淚涕唾用川芎苗細剉
茶清送下
治頭腦風傷風用薄荷葉每日食後剉三五片大能
凉上膈去風痰通關格
治偏正頭風及一切頭痛用白芷川芎為末煉蜜圓
如龍眼果大每服二三丸食後茶清送下○又方
用白芷二兩為末煉蜜丸龍眼大每服二三丸食
後細剉茶清下
治偏正頭風痛用白芷川芎各三錢為末用黃牛腦

子一箇搽藥末於磁器内加酒煮熟乘熱和酒食之盡量一醉睡後酒醒其疾如失甚效

治頭目風用荊芥穗細辛川芎等分為末食後湯點二錢服

治頭上有腫塊痛者名雷頭風取羯羊糞燒灰以酒調服

治諸風目眩用蟬脱為末米飲下一錢匕

治雷頭風用升麻蒼术各等分荷葉全者一葉燒存性各為散共匀以水煎七分熱通口服妙

治偏頭風取井底泥調大黃芒硝末塗之

治患頭風用山豆根搗末清油調塗之

治頭風鼻流清涕腦悶用辛夷仁一兩枇杷葉一兩為末以水醋酒調服　醫林集要

治頭風掣疼用黃蠟二斤鹽半斤右二味於錫鑼中溶令相和軟揑作一兜盔勢可合腦大小搭頭至額其頭痛立止　奇效良方

眩暈門

治頭眩暈經久不瘥四體漸羸飲食無味好食黃土用白朮二斤神麯三斤擣羅細末酒和併丸桐子大日三服忌桃李雀蛤勿食

治頭目眩暈取蟬脱為末每服二錢以白湯調下(一)

又方用大黃荊芥穗防風等分為粗末大作劑水煎去滓服以利為度一方有川芎

治氣暈頭痛因氣所觸心腹滿脹嘔吐酸水頭目暈眩及産後頭痛用川芎天台烏藥為末每服二錢生姜湯下 萬氏家抄

治感寒濕頭目眩暈用附子白朮川芎各一錢官桂甘草炙各半錢水一盞半姜七片煎七分温服

治冒雨中濕眩暈嘔逆頭重不食用川芎半夏泡七次白朮各一錢甘草半錢水一盞姜七片不拘時煎温服衛生易簡方

治一時為寒所中口不能言眩暈欲倒用乾姜一兩附子生去皮臍細切一枚每服三錢水一盞半煎七分食前温服

治一切失血過多眩暈不甦用川芎當歸酒浸等分細切每服四錢水一盞煎七分不拘時温服虚甚

加附子

治發汗多眩暈筋惕肉瞤用牡蠣粉炒黄防風白朮等分為末每服二錢酒調下米飲亦得日二三服

治男子婦人頭目眩暈胸中痰結眼昏不覺欲倒者取菊花不拘多少為末水糊丸桐子大每服五十丸溫酒下衛生易簡方

治血虛眩暈用千層石榴花為末吹入鼻中其暈立止

治頭暈用天麻一兩防風五錢川芎白芷各七錢㕮咀水煎晚服涇陽醫士王玎方

積熱門 附火

治經絡中熱夢漏心神恍惚膈熱夢遺不可全作虛冷亦有經絡熱而得之用黃柏二兩生用龍腦二錢右為細末煉蜜為丸桐子大每服一十丸臨卧麥門冬湯送下 千金方

治發熱口乾小便澁滯取甘蔗去皮嚼嚥汁口痛者嚼含亦可 千金翼

治風熱結滯或生瘡癤用荆芥四兩大黃一兩㕮咀每服三錢水一盞煎七分空心温服 經驗方

治大熱心悶者以槐子炒存性爲末食後酒調服一

錢醫林集要

治熱氣結滯經年數發五月五日採胡荽一斤陰乾水煎分服日服春夏葉秋冬根莖皆可

治熱毒攻心手足痛悶取蒼耳莖葉濃煎湯漬之良

治熱毒用鷄子白三枚和蜜一合服之良

治膈熱解酒毒厚腸胃用黃連半斤酒二升浸於瓦器中置甑上蒸爛曝乾為末滴水丸桐子大每服五十丸食前溫水吞下南陽活人書

治邪熱膈上氣滯五臟秘澁用玄明粉一錢或二錢臨卧桃花煎湯或葱白湯下證類本草

治大小人蘊積邪熱痰涎壅盛腮頰結核及瘡癧用防風鼠粘子炒各一錢荊芥甘草炙各錢半水一盞煎七分食後温服 奇效良方

治胸中煩熱或渴心燥用葛粉四兩先以水浸粟米半升經宿漉出與葛粉相拌令匀煑粥空心温服

治熱去煩渴以甛瓜去皮食後吃之煑皮作羹食之亦佳

治五心煩熱用胡黄連為末米飲調服方寸匕

治五臟伏熱煩滿皮肉如火用凝水石為末每服一錢水調下横立者為凝水石順立者為寒水石

治熱病煩滿目赤黃小便赤及酒疸用苜蓿擣汁服一升令大吐愈 證類本草

治熱煩滿不能食取生稀簽草擣取汁服三四合

治熱攻心煩燥恍惚取牛旁根擣取汁一升食後分為三服良 千金方

治溫毒熱病積在胸中煩亂欲死者用芫花三升煑取一升以舊青藍布蘸濕搭胸上 本草集要

治積熱大便秘結心膈煩燥用黃芩黃連大黃煨等分剉細每服四錢水一盞煎七分空心服或煉蜜丸桐子大白湯下四十丸 衛生易簡方

治胸中積熱剉甘草稍以水煎服 本草集要

治風熱積壅消食化氣導血用大黃二兩牽牛四兩半生半熟為末煉蜜丸如梧桐子大每服茶下十丸要利十五丸冬月尤宜並不傷人元氣

治心經留熱小便赤澁用梔子仁炒甘草炙連翹等分為末水煎三錢服無不效者 衛生易簡方

治心經留熱用紫花梨搗絞取汁服即愈 日用本草

治心火面熱發渴飲水或狂言妄語口舌生瘡用生黃連去毛剉細搗羅細末每服一錢以水調服 救民易方

治肺火右臉發熱令人多氣或遍身生癮疹用枯黃芩剉炒搗羅細末以水丸桐子大每服五十丸食遠白湯下　丹溪心法

治肝火左臉發熱令人多怒或目腫痛用黃連細剉以姜汁炒赤色搗為細末粥飯為丸如桐子大每服五十丸白湯下　丹溪心法

治胃火善食而飢名曰胃疸用石膏搗羅細末以醋糊丸如菉豆大每服五十丸白湯下

治腎火足脛發熱用黃栢細剉炒褐色搗羅細末粥飯丸如桐子大每服七十丸塩湯下

痼冷門

治身患痼冷疼痛用川烏為末好醋調攤絹上貼之即愈　衛生易簡方

治沉寒痼冷諸症脉沉而浮是也用川烏附子天雄各炮去皮等分剉片每服五錢生姜十片水煎服氣逆加沉香木香自汗加肉桂胃寒加乾姜丁香

○又方用乾姜一兩附子一枚生去皮臍剉細每服三錢水一盞煎七分食前溫服

治一切冷氣用乾姜艾葉等分為末蜜丸桐子大每服二三十丸酒吞下　千金翼

治心腹冷氣痛用菖蒲二三寸搥碎同吳茱萸煎湯飲或細嚼菖蒲一二寸以熱湯或酒下○又方用鷄子一箇去頭皮一塊照患每歲胡椒一粒為末內入鷄卵濕紙裹灰火煨熟急去紙皮嚼細熱酒乘熱送下痛止甚效 千金方

治下元虛冷用胡椒破故紙為末蜜丸桐子大每服三十丸空心酒下 經驗方

治腹臟中虛冷氣衝心心下結硬用陳皮四兩杏仁去皮尖一兩炒搗研細蜜丸如菉豆大每服三十丸食前溫米飲下 證類本草

治大腸久冷用威靈仙爲末蜜丸桐子大於一更内生姜湯下十九至二十丸 證類本草

消渴門

治消渴能飲水小便赤黃用退鷄沸湯撈出鷄毛不用待水澄清徐徐任意飲之

治消渴飲水不足兔頭骨一具以水煮取汁飲之○又方白花鴿一隻切作小臠以土蘇煎含之嚥汁

治消渴煩悶用烏梅三兩微炒為末每服二錢水二盞煎一盞去滓入豆豉二百粒再煎至半盞去滓臨卧服

治消渴飲水多身體瘦弱用天花粉人參各等分為末煉蜜丸桐子大每服五十丸食前麥門冬煎湯

下 易簡方

食治老人消渴煩悶常熱身體枯燥黃瘦取牛乳一升真者微熬右空心分二服極補益五臟令人強健光悅 安老方

治消渴煩熱用知母天花粉㕮咀水煎服之立效 本草集要方

治煩渴理正氣和中補脾利膈胃觧酒毒取甘蔗汁生姜汁二味相和匀分服 肘後方

食治老人煩渴臟腑乾枯煩渴不止用野鷄一隻如常法葱白一握粳米三合細研右切作相和羹作

臛頭下五味椒醬空心食之

食治消渴壯熱煩燥不安兼無力用青粱米一升淨淘令研細右以水三升和煮服之極治熱燥止渴養老書

治心熱或酒多消渴用硃砂一兩另研黃連三兩生地黃二兩為末煉蜜丸桐子大每服五六十丸燈心棗子煎湯下

治消渴骨蒸用宣黃連去鬚右為細末搗冬瓜自然汁和末捏成餅陰乾用時再研為末又以冬瓜汁丸桐子大每服三五十丸冬瓜煎湯不拘時下大

麥煎湯亦可 奇效良方

治消渴下焦冷小水頻飲牛羔五合 證類本草

治消渴小便利復非淋者取榆白皮二斤切以水一斗煮取五升每服三合日三服 千金方

治消渴風眩用水牛肉以醋煮食之肚主補五臟肝治痢腎主補腎髓安五臟平三焦溫中久服增年以酒送之 證類本草

治消渴口乾蘿蔔搗研絞汁一升飲之則定 食醫心鏡

治消渴用出了子蘿蔔二枚净洗薄切日乾為末每服二錢煮豬肉汁澄清調下食後並夜臥日三服

不過二劑大效〔簡要濟衆方〕○又方取新天花粉搗絞取汁頓服如乾者細切水煎服即止○又方用天花粉末黃連末搗生地黃汁丸桐子大每服五七丸食後牛乳下○又方用晚蠶沙炒乾為末每服二錢冷水調下○入方用豆豉以水煮汁任意服之良〔簡易衛生方〕○又方取乾浮萍天花粉等分為末以人乳汁和丸桐子大空心服米飲下二十丸日三服三年病者三日愈治虛熱大佳○又方取薔薇根切以水煎服良○又方用煮蠶繭絲湯任意飲之頓服效如非時以絲或綿或生絹煎湯服亦

可丹溪心法○又方用白藥子為末每服方寸匕冷水調下亦可蜜丸桐子大每服二十丸日二服尤佳○又方用黃連為末蜜丸桐子大每服二十丸溫酒下○又方用石膏為末每服三錢甘草一寸同水煎空心服救民易方○又方用楝黃連二兩剉水一盞煎半盞去滓頓服立止○又方用粟米以冷水濃淘泔汁澄清飲之候至酸味飲之尤佳奇效單方○又方收取百草頭上秋露水飲之甚效醫林集要○又方取蝸牛四十九箇以水一碗於磁器中浸一宿用器蓋之其蝸自沿器上取

水頓服之不過三服備急方○又方取黑豆置牛膽中陰乾百日過者吞之得效本草單方○又方取田螺五升水一斗浸經宿飲之每日易服良○又方用霜降後葵根皮一握水七升煎取三升服但酒渴傷寒渴皆效

治消渴飲水日夜無度者用白烏鷄殺去毛水煮任意飲之立止醫士王玎方

咳嗽門

凡治嗽當審其或為風寒濕熱之氣所干或因喜怒憂思過度或啖鹹酸而停飲或嗜慾負重而勞傷腎能致嗽各當隨其所感施治仍須量其虛實用藥則疾易愈而無差誤之失切宜慎之

治咳嗽用人參天門冬去心熟地黃等分為末煉蜜丸櫻桃大每一丸含化衛生易簡方○又方用桑白皮一兩枯白礬五錢為末以麪糊丸桐子大每服五十丸食遠淡姜湯下○又方用茶二錢蜜二兩蕎麥麪四兩以新水一大碗約打攪千餘轉連

飲之飲畢良久下氣〇又方用鳳尾草為末以鮓蘸食〇又方用大梨一枚刺孔以花椒每照年歲數内梨孔外以麪裹灰火中煨熟取出停冷去椒食之〇又方用天南星大者炮令裂為末每服一大錢水一盞生姜三片煎至五分空心溫服日午一服臨卧一服十全溥救方〇又方用括蔞黄熟一枚取出子若干照數還杏仁去皮於内火烧存性為末醋糊丸桐子大每服二十丸卧時白蘿蔔煎湯下救民易方〇又方飴糖六兩乾姜六兩為末豆豉二兩先以水一升先煮豆豉三沸次入飴

糖稍次入乾姜末攪匀不拘日時五六服○又方用猪頤一具薄切以苦酒煑食盡食後不過三服○又方乾浮萍一抄擣爛水一鍾煎數沸服○又方用一大梨切頂剜去核内填酥蜜麪褁煨熟食之○又方取梨汁和酥蜜煎服佳孟詵方○又方用猪腎二枚細切乾姜三兩為末水七升同煑二升臨臥徐徐服覆之取汗

治積年上氣咳嗽多痰喘促唾膿血擣蘿蔔子一合煎湯食前服之食醫心鏡

治咳嗽上氣喘急嗽血吐血人參好者為末每服三

錢七雞子清調之五更初服便睡去枕仰卧只一服愈年深者再服忌腥鹹鮓醬麪等物并勿過醉飽將息佳 十藥神書

治咳嗽甚者或吐血取桑白皮一斤米泔浸三宿刮去黄皮剉細入糯米四兩焙乾為末每服米飲調下二錢 本草集要

治感冒風邪鼻塞聲重咳嗽喘急用生甘草麻黄不去節杏仁不去皮尖等分細剉每服五錢水一盞姜五片煎至七分服以得汗為愈 大成方

治咳嗽利胸膈用括蔞肥實大者割開取子洗淨搥

破細切焙乾半夏四十九粒泡七次搥破焙乾為末將洗括蔞水並穰同熬成膏和末丸如桐子大每服二十丸食後姜湯下 本草集要

治咳嗽胸膈脹滿氣喘用桃仁二兩去皮尖水一升研取汁和粳米二合煮粥食之 養老書

治咳嗽冷氣胸膈脹滿乾姜為末熱酒調半錢服熱

治頭眩旋服立效 集驗方

治肺氣咳嗽用兜鈴三兩只用裏面子去殼酥半兩入碗內拌和勻慢火炒乾甘草一兩炙各為末每服一錢水一盞煎六分溫呷或以藥末含嚥津亦

得簡要濟衆

治肺疾咳嗽取蘿蔔子半升淨擇淘洗焙乾炒黃色熟為末以砂糖丸如彈子綿裹含之勝金方

治肺痿肺癰吐膿血咳嗽涕唾上氣用薏苡仁十兩水三升煎一升入少酒服本草集要

治肺痿久咳嗽涕唾多骨節煩悶寒熱甘草十二分炙擣為末每日取小便三合甘草末一錢匕攪令散服廣利方

治多年咳嗽肺痿咯血紅痰用白芨為末每服二錢臨卧糯米飲調服醫說

治咳嗽憎寒壯熱少喜多嗔忽進忽退面色不潤積漸少食若肺脉弦緊浮者并除風下氣消喘取杏仁半斤去皮双仁入於瓦瓶内以童便一斗浸七日漉出去便以温水淘過於砂鍋内研成泥另入甆瓶内以童便三升煎之如膏量輕重食前每服一錢及婦人室女服之更妙 左慈秘訣

治咳嗽痰涎取九尖萆麻葉三錢飛過白礬二錢以猪肉四兩薄劈棋盤利開摻藥二味荷葉裹之文武火煨熟細嚼白湯送下後用乾物壓之 養老書

治上焦有熱咳嗽生痰用黄芩末一兩製過半夏粉

一兩二味和勻生姜汁打糊丸桐子大每服七十丸食後淡姜湯下 養老書

治遠年虛勞咳嗽不安諸藥不效用阿芙蓉一分服 養生便宜方

食治老人咳嗽虛熱口舌乾燥涕唾濃粘擣取甘蔗汁一升半青粱米四合淨淘右以甘蔗汁下米煮粥空心漸食之日一二服潤心肺甚妙 安老方

治胸中熱積年咳嗽葶藶子二升肥棗一百枚水三升慢火煑水盡取棗旦暮日午各食一枚去胸中熱毒氣嗽自止 養老書

治暇呷咳嗽喉中作聲不得眠用白前為末温酒調二錢七服 本草集要

治上氣咳嗽呷呀息氣喉中作聲唾粘以藍實葉水浸良久搗絞取汁一升空腹頓服須臾以杏仁研取汁煮粥食之兩日將息依前法再服吐痰盡方瘥 證類本草

治傷筋脉急上氣咳嗽用棗二十枚去核以酥四兩火煎入棗肉中滴盡酥常含一枚臨卧微微嚥之

治諸咳嗽喘急等齁神效用信一錢半研末淡豆豉一兩潤去皮略蒸爛研為膏右丼作丸如菉豆大

每服五七丸涼茶送下忌食熱物又方加白礬三錢但舉發則服之以不嗽為度

治諸般咳嗽用天雄炮裂去皮臍為末每服一字溫酒調下立愈勿多服

治呴嗄用蓖麻子仁炒熟揀甜者吃多服見效（本草集要）

治久咳嗽用川椒二百粒為末杏仁二百枚去皮尖麩炒棗一百枚去核合搗極爛徐徐捏如棗大每服三五餅臨卧細嚼嚥之（千金翼）

治上氣咳嗽胸膈妨滿氣喘用鯉魚一尾重四兩燒末每服方寸匕煑粥空心食之（養老書）

食治老人上氣咳嗽喘急煩熱不下食食之即吐逆腹脹滿擣取生姜汁五合沙糖四两右相和微火温之數十沸即止每度含半匙漸漸下汁

治嗽用好茶葉一錢蜜二两蕎麪四两以新汲水一大碗約調千餘數連飲之畢良久下氣其喘自止

○又方用百部根擣自然汁和蜜等分煎成膏每服方寸匕日三服本草集要

治嗽出血片涎内有血系不問久新但聲音啞者一服即效用青黛一分牡蠣粉二錢杏仁七粒去皮尖炒右研勻用黄蠟溶和丸捏作餅三枚每日中

用乾柿一箇去核入藥在内濕紙裹煨約藥鎔方
取出去火毒食後細嚼糯米飲下 大成方
治欬㪺藥用訶子百藥煎荊芥穗為末姜蜜丸如弹
子大噙化 丹溪心法
治食積火鬱嗽㪺藥用貝母知母各五錢為末巴豆
去油半錢生姜一小塊研泥丸䝰豆大以硃砂或
青黛為衣每五丸白湯下 和劑方
蒼莎丸調中散鬱蒼朮香附子各四兩黄芩二兩右
為末蒸餅丸桐子大每服五十丸食後 經驗方
治熱勞骨蒸咳嗽吐血者取生地黄汁三合白粥攪

匀空心食之 本草集要

治熱嗽用紫花梨擣汁服亦止消渴 證類本草

治冷嗽用陳石灰為末以小米飯為丸如桐子大每服三十丸姜湯下

治寒嗽用生姜切作薄片焙乾為末以糯米糊丸芥子大空心米飲下三十丸如聲啞者亦屬寒此乍感寒而嗽者宜用半夏細辛生姜散主之○又方用麻黄二兩官桂一兩為末每服三錢以黄蠟少許水煎調服 奇效良方

治酒病嗽用白礬一兩另研杏仁一升右水一升煮

乾擲新瓦上露一宿砂鍋內炒乾每夜後細嚼杏仁十五枚甚效　萬應方

治患氣嗽用生訶梨勒一枚含之嚥津瘥後口不知味卻煎梹榔湯一碗服立便知味○又方用鹿角膠炙半焦為末每服一錢匕人參末二錢豆豉湯一盞半葱白少許煎一二沸盛盞內遇嗽時呷三五口候溫盡服　證類本草

治久嗽語聲不出用訶子肉杏仁去皮尖各六錢炒通草一錢半右㕮咀分二貼每貼水一升姜三片煎八分食遠溫服　奇效良方

治久欬用芫花二兩水二升煑取一升去粗入白糖一斤熬成膏臨卧每服一大匙嚥化徐徐嚥之

治久欬不瘥用紫菀款冬花剉以水煎食後服即止

○又方用紫菀去蘆頭款冬花各一兩百部半兩為末每服三錢生姜三片烏梅一枚煎湯調下食後臨卧各一服 千金翼

治壯實人久欬即效用罌粟殼一味淨去筋膜為末以蜜湯調下

治瘦弱人久欬屢效取九尖芙蓉葉為末以魚鮓蘸食 醫林集要

治久患咳嗽用款冬花為末燒煙口吸效　奇效良方

治咳嗽久患連嗽四五十聲者用生姜汁半合蜜一匙煎熱溫服　備急方

治久患氣嗽用陳皮神麯生姜焙乾為末丸桐子大食後夜卧米飲下三五十丸亦治膀胱　奇效良方

治暴嗽久咳用百部根同生姜搗爛絞取汁微煎食後每服方寸匕　本草集要方

治一切痰飲咳嗽用半夏大者一斤湯泡七次晒乾為末用生絹袋盛貯於磁盆內以浄水洗出粗柤将洗出半夏細末就於盆内日晒夜露日換新水

七日七夜澄去水將半夏粉每一兩入飛過細硃砂末一錢以姜汁糊丸桐子大每服七十丸食後姜湯下

治痰欬面浮用真蛤粉一味新瓦焙令通紅以碗合地上一宿出火氣拌青黛少許同淡齏水滴麻油數點服之 醫說

治痰嗽用杏仁去皮尖蘿蔔子各半兩搗研為末粥丸桐子大每服五十丸姜湯下 丹溪心法

○又方用白礬一兩人參半兩巴豆十粒去皮心油為末醋糊丸桐子大豆粉為衣每服三五丸臨卧姜湯

下奇效良方

治一切痰嗽不已諸藥無效世傳極驗用米殼一斤醋炒烏梅肉四兩官桂一兩為末每服三二錢沸湯點常服食後日三服一方無官桂○又方用知毋貝母各一兩巴豆二十粒去皮油為末每服一字生姜三片蘸米臨卧細嚼下次利一行粥補甚效○又方用貝母為末以沙糖丸噙化衛生易簡方

治風壅化痰涎利咽膈清頭目除咳嗽止煩熱用寒水石燒赤出火毒水飛過三兩半夏洗焙為末枯白礬研細各一兩飯糊丸桐子大每服三十丸食

後姜湯下奇效方

治痰涎壅嗽不已用橘皮去白半兩半夏二錢半洗焙乾為末分作二服每服水一盞半生姜一片煎七分去滓溫服○又方用栝樓為末白湯點服一錢御藥院方

治肺鬱痰喘睡卧不安用貝母杏仁青黛右為末沙糖入姜汁泡蒸餅丸如彈子大噙化每一丸

治肺臟蘊熱痰嗽胸膈塞滿取瓜蔞仁另研半夏洗七次焙乾為末各一兩和勻姜汁打糊丸桐子大每服五十丸食後姜湯下本草集要

治久患肺氣喘急用杏仁去皮尖二兩以童便浸一二日焙乾爛研每服如棗大薄荷一葉蜜一點水一盞同煎至七分食後溫服甚者不過三劑瘥永不發動忌醒物 勝金方

清金丸瀉肺火降膈上熱痰以片子黃芩炒為末蒸餅丸桐子大每五十丸茶清下 丹溪心法

治肺痿喘嗽用漢防巳為細末每服三錢漿一盞煎七分溫服 儒門事親方

治肺氣潤五臟用糊麻一升蒸曝搗末蜜一升和杵丸常服 本草集要

治肺傷用紫菀水煎服之效○又方用沙參㕮咀水煎服之效 衛生易簡方

治喘嗽用白殭蚕細茶為末等分臨卧淡姜白湯調服 經驗易方

治喘嗽不已痰中有血用百合蒸焙款冬花各等分為末煉蜜丸龍眼大每服一二丸食後細嚼姜湯送下噙化尤佳 醫方選要○又方用知母貝母等分為細末以老生姜切片蘸末細嚼白湯下 衛生易簡方

治老人久患喘嗽不已睡卧不得者服立效用杏仁

去皮尖炒胡桃仁去皮各等分共研為膏入煉蜜少許搜和得所圓如弾子大每服一丸食後細嚼姜湯送下○又方用蘇子白芥子蘿蔔子各等分洗淨紙上微炒搗為細末每服三錢用生絹包入沸湯内煎服冬月加生姜醫通

治肺熱喘嗽久不愈用石膏以火煅過搗為細末每服二錢食後蜜水調下丹溪心法

治肺燥喘熱大便秘澁用杏仁去皮尖研一升半翻復絞取稠汁入生蜜四兩甘草末一錢於石銀器中慢火熬成稀膏貯磁器中盛之食後夜卧入少

酥沸湯點一匙服 海上方

治肺氣不利咳嗽上喘用紫團參款冬花紫苑鹿茸等分為末每服二錢水一盞烏梅一箇煎七分空心溫服 奇効良方

治肺氣喘嗽用馬兜鈴二兩去殼用子酥半兩和匀慢火炒乾甘草炙一兩共為末每服一錢水一盞煎六分溫呷或以末噙含嚥津亦可

治肺氣喘促咳嗽用鯉魚作鱠以姜醋食之蒜虀亦得 食醫心鏡

食治老人上氣喘急坐卧不安用豬順三具細切青

州棗三百枚右以酒三升煮食

治久患肺氣喘急用杏仁去皮尖二兩童便浸一日一換夏月一日三四換浸半月取出焙乾研細每服一棗大薄荷一葉蜜一鷄頭實水一盞煎七分食後溫服甚者兩劑則瘥永不再發忌腥物○又方用桔梗一兩半擣末以童便半升煎取四合去滓溫服　簡要濟衆

治咳嗽喘促用鯉魚一頭重四兩去鱗紙裹煨熟去刺研爛以糯米一合煮粥將熟投魚肉合煮食

治喘急不得卧用人參一錢半胡桃十五箇湯泡去

皮取白仁㕮咀作一貼水一鍾半姜三片煎八〻去滓食後溫服○又方取胡桃肉一兩細茶研末五錢和勻入蜜三四匙杵成丸彈子大不時噙化下攝生眾妙方

治勞喘嗽不已自汗者用粟殼炒為末每服二錢入烏梅一箇水一盞同煎食後溫服有汗加小麥三十粒海上方

治痰喘用胡桃肉三箇生姜三片臨卧細嚼飲湯三兩呷下就碗又再嚼如前湯飲下即安備急方

治熱嗽喘甚搗石膏二兩炙甘草五錢為末每服三

錢水調下或姜汁和蜜調服本草集要

治哮喘用訶子搗末白芥子煎熟杵丸服之妙萬氏家抄方

治咆哮喘嗽用菉豆一合人言一錢右二味入砂鍋內以水煮豆爛熟研為糊焙乾再研為末神麴糊丸如麻子大每服二十丸小兒十一二丸七歲以下六七丸冷茶清臨卧送下忌熱物一日此方其妙如神秘之慎之

杏桃丸治久嗽不止杏仁去皮尖炒核桃仁去皮各一兩為末煉蜜丸彈子大噙化一丸○又方用牛

旁子[illegible][illegible]炒一两杏仁去皮尖炒一两為末煉蜜

丸梧子大每服一丸食後噙化　涇陽醫士王玎方

痰飲門

千金翼論曰治痰飲吐水無時節者其源以冷飲過度遂令脾胃氣滯不能消於飲食入胃則皆變成冷水反吐不停皆赤石脂散主之赤石脂一斤擣篩服方寸匕酒飲自任稍稍加至三匕服盡一斤則終身不吐痰水又治下痢補五臟令人肥健有人痰飲服諸藥不效用此方遂愈其雜諸藥用者則張仲景治傷寒下痢不止便濃血者桃花散主之其方用赤石脂一斤一半全用一半末用乾姜一兩粳米半升以水七升煮之米熟為準去滓每

飲七合入赤石脂末方寸匕日三服愈南陽活人書

治冷痰飲惡心用蓽撥一兩擣末於食前清粥飲調半錢服聖惠方

治痰飲流注疼痛用大半夏二兩泡過為末風化朴硝一兩姜汁丸如桐子大每服五丸姜湯下痛在上臨卧服痛在下空心服奇效良方

治痰飲氣上不思飲食小便不利頭目昏眩吴茱萸湯泡白茯苓去皮等分為末煉蜜丸桐子大每服三十丸熟水温酒任下和劑方

治胸膈停痰嘔逆惡心吐酸水用橘紅半夏等分剉

水一盞姜七片煎七分服常服止嗽化痰養液簡易方

治胸中有痰瘀癖氣者用白礬一兩水二升煮取一升入蜜一合更煮少時温頓服須臾即吐如未吐再以熱水一盞即吐衛生易簡方

治胸膈停痰滿悶嘔逆惡心吐痰水用茯苓二錢半夏泡過三錢水一盞姜七片煎七分空心服證類本草

治痰盛寬胸膈快氣用黑牽牛三兩皂角去皮弦二两微燒白礬半夏麯炒陳皮去白各一兩為末煮蘿蔔和麪糊丸桐子大每服四五十丸臨卧淡姜湯

下

治老人春時胸膈不利痰壅氣噎及咽喉諸疾用黍粘子三兩炒令香熟甘草炙半兩右為細末每服一錢食後臨卧如常點之壽親養老書

治中脘氣滯胸膈煩滿痰飲不利頭目不清用生南星去皮半夏湯泡七次各五兩為末以姜汁和軟攤在篩中以楮葉蓋之令發黃色晒乾收之用香附一兩為末須在五六月間做成麯待乾用時為末水糊丸如桐子大每服四十丸食後姜湯下

治痰飲胸膈痞滿用大括蔞搗爛以湯泡過半夏為

末將括蔞以水調取汁煎膏為丸如桐子大生姜
湯下二十丸 奇效良方

治痰飲胸膈不利用括蔞黄熟一枚搗爛黒牽牛末
二錢皂角一枚去皮弦切咀水五盞煎至三盞食
後分三服 大成方

治膈壅風痰用半夏為末以生姜汁和作餅濕紙裹
慢火煨熟切片每用二錢水二盞煎至一盞食遠
温服 救民易方

治風痰上壅用欝金十分藜芦一分各為末和令匀
毎服一字用温漿水一盞先以少漿水調下餘者

水漱口都服便以食壓之經驗後方鬱金類

治風痰以蘿蔔子為末冷水調一匙服良久吐出涎沫如是癱緩風以此吐後用緊疎藥服後服和氣散瘥勝金方

治酒痰用括蔞搗研蜜丸噙化一方入生姜萬氏家抄

〇又方用括蔞仁青黛研末以姜蜜丸噙化救肺丹溪心法

治嗌如膠漆稠粘咽喉不利用旋覆花為末每服二三錢水煎時時呷服即漸清利證類本草

治痰厥頭痛用烏梅十箇取肉鹽二錢酒一盞煎至

七分去滓非時溫服立即佳

治諸痰要藥用貝母不拘多少以童便浸秋冬三日春夏一日撈出水淋洗淨晒乾研細末糖霜和成不時任服白湯調下亦可 證類本草

治頑痰不化用石青一兩石菉半兩俱水飛為末麵糊丸菉豆大每服十丸溫湯下有痰即吐一二碗不損人

抑痰丸用栝蔞仁一兩半夏二錢貝母三錢右為末蒸餅丸如麻子大每百丸姜湯下○又方用栝蔞仁黃連各半兩半夏一兩為末麪糊丸桐子大每

五十丸姜湯下千金方

治壯實人氣實有痰或頭重或頭暈用大黃一兩酒浸炒為末茶調三錢服立效丹溪心法

治膈壅風痰用半夏洗淨為末生姜自然汁和為餅子濕紙裹於慢火煨熟水二盞用餅子一塊如彈子大入鹽半錢煎一盞服

治頭風化痰川芎不計分兩用淨水洗浸薄切片子日乾或焙為末煉蜜丸彈子大不拘時茶酒嚼下一丸經驗方

治一切風痰食不消化用訶梨勒三枚擣和酒頓服

三五度良

治風痰用白殭蚕直者七枚細研以姜汁一茶匙温水調灌之勝金方

治食積痰壅滯喘急用括蔞仁半夏山查神麯炒等分為末括蔞汁丸桐子大每服三二十丸姜湯竹瀝下斗門方

治濕痰喘急用半夏不拘多少以香油炒為末粥丸桐子大每服三五十丸姜湯下本草集要

治濕燥痰用南星半夏各一兩蛤粉二兩右為末姜糊丸桐子大青黛為衣姜湯任下

導痰丸用礞石七分另研菉豆三十粒先以菉豆於口中噙潤脹去皮搗爛入石再研分三十丸硃砂末為衣每服三粒風痰薄荷湯下或白湯或淡姜湯下如顛狂桃枝煎湯下

治痰壅用絲瓜經霜者燒存性煉蜜丸彈子大每服一丸食後噙化王玎方

又方感應四神散用好錦文大黄四五兩作粗片鮮姜自然汁浸一二日綿紙包褁數層水蘸濕灰火反覆煨紫黑色晒乾取净末三兩蒲黄紙上炒黄赤細末一兩軟滑石火煅爲細末六錢真緑豆粉

細末六錢共合一處每服五錢五更空心好黄酒調服痰隨大便下用米粥一二日調理亦治癖塊積聚尤效

嘔吐門 附咳逆

治卒乾嘔不息取甘蔗汁温熱服之止○又方生姜取自然汁温服亦止肘後方○又方搗葛根絞取汁服一升瘥肘後方○又方用鷄子去白呑黄數枚瘥

治乾嘔取羊乳一盞空心服之良○又方以酒浸馬糞一宿取汁服之

治嘔而胸中滿及乾嘔吐涎沫而頭疼者用茱萸一升棗二十枚生姜人參各一兩水五升煎三升每服七合日三服南陽活人書

治嘔吐而病在膈上後思水者欲解用豬苓茯苓白朮等分為末米飲下一匕日三服

治嘔吐用白梹榔一顆煨陳皮一分炙為末水一盞煎半盞服

治天行嘔吐不下食取臘月兔頭連毛燒令煙盡劈破作黑灰搗為細末米飲服方寸匕頻服效○又方用滑石研細末溫水調下二錢仍以熟麪食半碗壓定○又方取麻仁三兩杵熬以水研取汁入少塩吃立效（李諫議常用極效）○又方用水銀八錢硫黃一錢二味入銚內慢火化開以柳木片子攪炒或

有煙燄以醋洒之結成砂子再研細末用粽尖杵和丸菉豆大每三十丸姜橘煎湯食後服之○又方用大附子二箇生姜一斤細切煑研如麪糊米飲調下經驗方

治吐逆用黄丹不拘多少研細以棗肉丸芡實大每服用一丸將針簽於灯上燒過以人乳汁下之立止葛氏家抄○又方用好黄丹四兩羅細以好醋半升小鍋内煑乾就鍋用炭三秤炒煅紫色令透研為細末杵飯丸桐子大煎酵湯每下七丸立止醫林集要方

治男婦吐逆不止粥食湯藥不能下可以應用得效
用五靈脂揀淨好者不計多少擣羅極細末狗膽汁和丸雞頭實大每服一丸煎熱姜酒湯下即與粥食勞效 本草集要

治嘔啘不止不欲食採取枇杷葉煮汁飲之

治反胃嘔吐用半夏二升不切人參三兩白蜜一升水一斗二升和蜜揚之二百四十遍煎至四升溫服一升餘再服

治反胃嘔吐飲食不下取地龍屎一兩南木香五錢
右為細末用神麯煮糊丸桐子大每服五十丸陳

皮或姜湯食遠送下○又方用真蛤粉姜汁米飲
食後調下一錢匕
治胃受邪熱心煩喜冷嘔吐不止用葛根二錢半夏
一錢半湯洗泡七次甘草炙一錢入竹茹一塊姜
五片水一鍾煎七分去滓冷服不拘時
治胃虚中寒停痰留飲嘔吐噦逆用藿香二錢半夏
姜汁炒三錢半丁皮一錢半右作一服水二鍾生
姜五片棗二枚煎至八分食遠服 醫方選要
治乾嘔噦手足厥冷用橘皮四兩生姜半斤剉碎水
七盞煎至三盞去滓溫服一盞 南陽活人書

治嘔噦用麪醋和作彈丸三二十枚煑熟漉出浸漿水中少須乘熱吞三二枚至八九枚未定晚飯前再吞〇又方用白茯苓白术人參黃芪剉各三錢姜五片新水三盞煎一盞温服〇又方用柿蒂七枚水一盞煎半盞服 簡易方

治噦欲死用半夏生姜各一兩㕮咀水二盞煎八分去滓作二服輕者以虛誑之事或以紙撚搐鼻即止

治噦煑豆豉三升飲汁佳

治卒嘔噦逆飲新汲涼水三二升佳 千金方

治諸咳噫用橘皮三兩湯浸去穰剉枳殼一兩去穰麩炒右剉碎以水二升煎至五合去滓通熱頓服奇效良方○又方用硫黄乳香等分為末用酒煎急令患人嗅之即止○又方研雄黄末二錢以酒一盞煎七分急令患人嗅其熱氣即止○又方用川椒為末和生麪丸桐子大醋湯吞二十丸

治寒氣攻胃咳噫用吳茱萸半兩湯浸七次焙乾微炒青橘皮半兩湯浸去白焙右㕮咀每服三錢水一盞入生姜一片同煎至五分去滓不拘時熱服

治病者咳噫用良姜為末水二盞煎六分入少醋更

煎一二沸温服立效

治久患咳噫連咳四五十聲者用生姜汁半合蜜一匙煎熟温服三服立止

治上氣咳逆及冷氣結氣用紫蘇子研汁煮粥食甚良　怪症奇方

治胸膈痞滿咳逆用柿蒂丁香各二錢水一盞姜五片煎服不拘時　南陽活人書

治意氣欬逆亦治傷寒欬逆日夜不定用蓽澄茄良薑各二兩右為末每服二錢水一盞煎六分沸投醋半盞取出呷之　奇效良方

諸血門

治吐血用生姜汁一合生藕節汁二合葱鬚汁一合生蜜少許小薊芽汁三合（小薊即七夕芽一名茨芥）右通研爛為汁露一夜次日清晨凉服（經驗傳）○又方用人參一味為末鷄子清投新汲水調下一錢不止再服○又方取生地黄汁一升二合白膠香二兩入磁器盛入甑蒸令膠消服（梅師方）○又方用大黄末每服一錢生地黄汁一合水半盞煎四五沸服之○又方用黄芩二兩赤芍藥一兩為末三錢水一盞煎七分熱服○又方取韭汁童便生姜汁欝

金末調飲其血自清如無鬱金以山茶花代之○又方用京墨為末以白湯化阿膠清調頓服熱多者尤宜服

治鼻血用千葉石榴花焙乾為末吹鼻中立瘥○又方用白芍藥一兩犀角末一分新水調服一錢血止為限○又方取柏葉一握乾姜三片阿膠一錢水二盞煎一盞去滓頓服○又方用寒食麪蒲黃各一兩俱生研勻每服二錢冷水調服救民易方○又方荊芥穗半兩甘草炙一兩桔梗二兩㕮咀姜湯煎食後服

治吐血不定用茜草一兩搗羅為散每服二錢水一盞煎至七分待冷食後服之良簡要濟衆○又方取越桃根每剉一兩水煎溫服立止又宜柜柴葉研生酒入鹽少許服

治吐血唾血蒲黃一兩末每服三錢溫酒或冷水調服妙簡要濟衆

治吐血唾血鼻血腹中聚血用紫參為末每服三錢水一碗煎六分溫服本草集要

治吐血唾血及治煩燥用生蒲黃乾荷葉為末每服三錢濃煎桑白皮湯調下證類本草

治唾血吐血用蒲黄一兩生地黄半兩為末每服二三錢食後冷水或酒調下 衛生易簡方

治吐血鼻衄血不止取伏龍肝半升以新汲水一大升淘取汁和蜜頓服 廣利方

治吐血及下血取側栢葉蒸乾人參焙乾各一兩為末每服二錢入飛羅麪二錢以新汲水調和如稀糊服之 千金翼

治吐血嘔血衄血擣取姜汁一合韭汁三合童便一合酒半合右合和温服血自止

治吐血咯血鼻衄取藕節擣汁飲之〇又方用荷葉

焙乾為末米湯調二錢匕服證類本草

治吐血並鼻中衄血用蓮心為末酒調服二錢備急方

治傷力吐血右用猪肝煮熟蘸白芨末同食即止奇效良方

治男婦吐血連日不止飲食湯藥不能下者用五靈脂不拘砂石者搗末以狗胆汁和丸如芡實大每服一丸煎生姜酒磨令極細更以姜酒化開以沸湯盪藥令熱宜先作下粥温熱得所左手與患人藥吃不得漱口右手急以粥呷之千金方

治心熱吐血用葛根鮮者搗汁服乾者為末煎服○

又方用小薊葉及根搗汁每服一小盞亦治瀉血

治吐血用皺面草即地松為末每服一二錢以茆花泡湯調服不時服 千金翼

治嘔血用山茶花以童便姜煎服 丹溪心法 ○又方用黃柏蜜炙搗為末麥門冬煎湯調二錢匕服 本草集要

治咯血用黃藥子防已各一兩為末每服一錢匕水一盞小麥二十粒煎七分食後溫服○又方用青黛一錢杏仁四十粒去皮尖以黃蠟煎黃色將杏仁研細入青黛揑作餅子用時以柿一枚破開以

餅置其中合定濕紙裹煨研汁飲之○又方用白芍藥一兩犀角末二錢半為末新汲水調服一錢匕血止為限 斗門方

治咯血衄血用白芍藥一兩炒令黃搗令細末酒或米飲下二錢並得初三服漸加 廣利方

治肺痿咳血多痰用防已葶藶等分為末每服一錢匕糯米飲調下 證類本草

治肺痿唾膿血取薏苡仁十兩杵破以水二升煎取一升入酒少許服之 證類本草

治肺癰得吐以黃蓍二兩杵為細末每服二錢水一

鍾煎至六分溫服日三四服本草集要

治肺損吐血歎血用鮮地黃四兩取汁鹿角膠一兩炒阿膠亦可右為末拌和每服三錢童便一盞煖熱入薑汁少許調下千金翼

治酒色傷心肺口鼻出血用荆芥燒灰置地下出火毒為末每服三錢陳米飲調下○又方取百草霜為末每服三錢米飲調或井花水調下三服愈○又方取童便或自己新熱小便服之良丹溪心法

治鼻血出不止用紙丸以新汲水蘸濕在左塞左耳在右塞右耳兩鼻孔出血俱塞兩耳即止○又方

用獨蒜一枚去皮研如泥作餅如錢大厚一豆許左鼻出血貼左脚心在右出血貼右脚心兩孔出血俱貼兩脚心血止即以溫水洗之○又方用飛羅麪二錢塩一錢新汲水調下衛生易簡方

治鼻衄血出用榴花栢葉為末每用少許吹鼻中即止救民易方○又方用乾姜削令尖頭微煨塞鼻中廣利方

治婦人經血不止用五灵脂末炒令過熟出盡煙氣每服二錢用當歸二片酒一鍾與藥同煎至六分去滓熱服連三九服效千金方

治瘀血蓄胃心下脹滿食入即嘔用赤芍藥半夏陳皮各等分每服四錢水一盞姜七分煎七分不拘時溫服奇效方

四生丸治諸血吐衄如神生栢葉生地黃生艾葉生荷葉各等分右擣為丸如鷄子大每服一丸水一鍾煎八分去滓溫服血止為度○又方治吐血用京墨研濃一錢用荷葉煎湯調服○又方用白土炒焦色每服三錢沸湯下

治尿血用柿餅一箇批破用青黛擦上烧存性每服三錢空心栢葉湯下○又方用髮灰茸草稍梔子

仁各等分每服一兩空心煎服

治大便瀉血用樗根白皮一兩人參三錢苦參五錢

右剉水煎空心服

治牙縫出血用解盬每日清晨擦之立止 以上涇陽王玎方

黄疸門

治黄疸用柴胡一兩白茅根一握甘草一分㕮咀水一碗煎至半碗去滓任意徐徐服之（醫林集要）○又方取樺木或皮剉濃煎汁湯不拘時飲之多服效○又方用黄雌鷄一隻退去毛並腹中腸臟洗净以生地黄一斤㕮咀入鷄腹中以線封固置銅器中蒸令熟食之黄退則止○又方用生蘿蔔子焙為末白飲調服方寸匕日三服○又方用乱髮燒灰水調服一錢匕日三服（肘後方）○又方取柳枝一束水一斗煑濃汁半升頓服盡日再服○又方用

雀通二枚以冷水研服即效衛生易簡方○又方用梅樹根以酒煎服千金方○又方用麻黃一握去節以好酒五升煮半升頓服○又方採東南桃枝稍連葉一握以水煎服

治五疸急黃山豆根末空心水服二錢醫林集要○又方用小麥苗搗水絞取汁五七合日夜三四次飲可愈一方以小麥搗水絞汁頓服○又方取東引桃根細切如筋一握水一升煎八分空腹溫頓服忌鷄犬婦人見之身眼皆金色服此三五日後其黃離離如雲散百日平復飲酒一二盞眼中黃

則易散不飲則散遲○又方用茵陳二斤水一斗煎五升分服一升日三服夜一服○又方取絲瓜連子燒灰為末因麪得病麪湯下因酒得病酒調服日夜三服愈○又方用大黄葶藶等分為末煉蜜丸桐子大每服十丸食前冷水下日三服千金方

治時行黄疸病採葵葉煮汁飲之日二三服斗門方

治男婦黄疸病耳目悉黄飲食不消胃中脹熱生黄衣乃臟中有乾屎以猪脂烏梅煮煎一升頓服日三下燥屎乃愈慎之

治急黄疸及內黄腹結不通用蕪菁擣絞汁服當得

嚏鼻出黃水及下利愈

治急黃病用大黃二兩細剉水三升漬一宿旦煎絞汁一升半入芒硝二兩絞服湏臾當快利

治黃疸皮膚眼睛如金色小便赤生蔓菁子末熟搗之水調下 孫真人食忌

治黃疸遍身如金色用青甜瓜蒂四十九箇湏六月六日收取丁香四十九粒以乾鍋內燒煙盡為度研末用一字吹鼻中及搽齒仍令深吸取鼻出黃水立瘥 南陽活人書

治酒疸用枳實去穰麩炒梔子葛[illegible]各一兩豆豉一

兩甘草炙半兩細剉　服二錢水一盞煎八分溫服 千金方

治酒疸心懊痛足脛滿小便黃飲酒發赤黑黃斑由大醉當風入水所致黃蓍二兩木蘭一兩為末酒服方寸匕日三服 千金翼

治酒疸脾黃用木鱉子醋磨一二盞服必利見效

治酒疸用葛根四兩硃砂木香各二錢為末每服三錢溫酒調辰午申時各一服 本草集要

治酒毒遍身黃者用五靈脂一兩麝香少許為細末米飲和丸如菉豆大每服十五丸食前米飲送下

治女癆疸身目皆黃發熱惡寒小腹滿急小便難内大熱大勞交接後入水所致用乱髮如鷄子大猪脂半斤煎合盡分二服〇又方用滑石錢半枯白礬一錢以大麥粥飲調下以小便利出黃水為度

怪症奇方

治勞疸用苦參三兩龍胆草一兩為末牛胆或入少煉蜜和丸桐子大食後每服三五十丸麥米飲下日三服或空心熱水生姜甘草湯任下

治食勞身目俱黃用緑礬半斤火煅通紅研細紅棗肉〻[illegible]大每服五十丸或酒或姜湯下

治熱病煩滿目黃赤小便黃酒疸用苜蓿擣取汁服一升令人吐利即愈唐本注方

治黃腫用百草霜一升炒麪半升緑礬四兩為末糖丸桐子大每服三四十丸姜湯米飲任下極效

治五般疸用秦艽六兩牛乳二錢煑一盞去滓頓服兼治痞硬如石梅師方

治五疸黃汗身體四脂微腫胸滿不得汗汗出如黃蘗汁為大汗出卒入水所致猪脂一斤令溫熱盡服之日三當下下則稍愈

傳信尤易方卷之二終

傳信尤易方卷之三

易州醫官鄭希臣檢閱
涇陽醫[illegible]校正

脾胃門

食治老人脾胃氣弱不多食四肢困乏無力尫白羊肉四兩白麪六兩生姜汁二合右以姜汁搜麪肉切作䭔頭下五味椒葱煑熟空心食之安老懷幼方

又方用猪肚一箇肥者淨洗入人參半兩橘皮末半兩猪脾一枚細切葱白飯半碗右總納猪肚中相和入椒醬五味訖縫口合蒸之令爛熟空心漸食之作三兩劑兼補勞養老書

食治老人脾胃氣弱不多進食行步無力黃瘦氣微

見食欲吐用雞子三枚白麪五兩白羊肉五兩作臛頭右以雞子白搜麪如常法作之入五味煮熟空心食

食治老人脾胃氣弱勞損不下飲食用羊脊骨一具肥者槌碎青粱米四合淨淘右水五升煮取二升汁下米煮作粥空心食之可下五味常服其功難及

食治老人脾胃氣弱乾嘔不能下食能補益臟腑用羊血鮮者作片麪醬葱白一握白麪四兩如常法煮血令熟漸食之三五服極有驗

食治老人脾胃氣弱不多食痿黄瘦弱用黄雌雞肉五兩白麪七兩葱白細切三合右以切肉作餛飩下椒醬五味

治脾胃氣弱食不消化嘔逆反胃湯飲不下用粟米半升擣末水丸桐子大煮熟入少鹽空心和汁吞下日再服 飲膳正要

治脾胃因饑飽不時以致脾胃虛弱用陳倉米半升以黄土拌炒熟去土用陳皮二兩共爲末姜汁打糊丸桐子大每服五十丸食遠米飲下

治脾胃因氣鬱滯以致飲食堅脹不消膈上膨悶用

陳皮青皮爲末每服米飲或沸湯調服一二錢日二服千金方

治脾胃作痛用白艾爲末每服一二錢沸湯調服

治脾胃進食用茴香二兩生姜四兩同搗勻淨磁器内濕紙蓋一宿次日銀石器中慢火炒黄爲末酒糊丸桐子大每服十丸至十五丸茶酒任下奇效良方

治脾胃壅滿心隔不利用枳實去瓤二兩麸炒黄爲末米飲調二錢服不拘時證類本草

治脾胃不和消食快氣用百合爲末米飲調服一二錢姜湯亦得本草集要

治脾胃不調不思飲食用人參甘草炙茯苓白术陳皮等分細剉每服三錢水一盞煎七分不拘時服

治脾胃不和不能下食白豆蔻去皮一兩乾姜炮裂白术各三分右爲末煉蜜和丸桐子大每服二十丸以姜棗煎湯送下空心食前服 奇效良方

治脾胃氣冷不能下食虛弱無力用鯽魚半斤細切作鱠沸豆豉汁投之入蒔蘿胡椒乾姜陳皮空腹食之

治脾氣冷嘔食即欲吐用白豆蔻三枚爲末好酒一盞微溫調服日三服 證類本草

治胃氣弱不下食者用蓴菜合鲫魚爲羹食之至效

治胃久積冷不能下食嘔吐不止用半夏五兩泡過爲末每服三錢白麪一兩以水和搜切作棊子水煮麪熟爲度用生姜醋調和服之 簡要濟衆

治脾胃冷氣發痛不能忍者用茱萸桃仁各一兩和炒茱萸焦去不用取桃仁去皮尖細研葱白煨熟酒浸温分二服 經驗後方

治冷熱氣不和不思飲食或腹痛疞刺用梔子仁川烏頭等分生擣爲末酒糊爲丸桐子大每服十五丸炒生姜湯下如小腹氣痛炒茴香葱酒再下二

十九 博濟方

治心下堅大如盤水飲所作用川枳實七枚白术二兩以水一斗煎取三升分三服腹中軟即消 證類本草

治食糯米黄米糕稠粘難消化之物服利藥亦不能尅化用陳麯爲末酒調三錢温服如不飲酒熟水調服亦可 救民易方

治食肉太多作脹悶不能消化用山查肉四兩水一盞煎三沸先飲湯後任意食煮熟山查肉蓋山查能腐肉也 證類本草

治食過飽煩悶但欲卧而腹脹用麥糵炒香爲末如

無芽大麥亦可空心白湯調服三錢本草集要

治多食生冷傷脾用砂仁煎湯常服效或生姜湯常服亦效證類本草

食治老人飲食不下或嘔逆虛弱用生姜二兩去皮切漿水一升和少鹽煎取七合常作飲之能開胃進食

積聚門

治一切積聚用水紅花子不拘多少微炒搗爲細末每服一二錢空心米飲調下楊簡方○又方用蓬术醋炒爲末醋糊丸桐子大每服七十丸温酒下○又方用黒牽牛搗取頭末煉蜜丸桐子大每服三十丸陳皮或生姜煎湯空心臨卧二服○又方用三稜火煨細剉每一兩水二鍾煎至一鍾空心温服

治積聚心腹痞滿嘔吐不止用皂角一挺一尺二寸燒留性盆合於地上𢫫勿令出煙取出爲末巴豆

十二箇去殼以麪一兩同炒黄爲末醋糊丸如菉豆大每服十丸食後鹽湯下約量加減用之

治積聚過食脹滿用大黄乾姜巴豆去皮心油各一兩爲末煉蜜丸桐子大每服三五丸温水下不拘時服　衛生易簡方

治停積宿食留飲不除脹滿用椒目二兩巴豆一兩去皮心炒搗以棗膏丸如麻子大每服二三丸食遠白湯下　藏經方　〇又方用巴豆一枚去心皮油炒椒目十枚豆豉十六粒合搗麪糊丸每服二丸或吐或利或不吐利再加之

治一切氣宿食不消用訶梨勒一枚入夜含之至天明嚼嚥下效孫真人方

治食肉不消心下堅硬用杏仁去皮一升水三升煎服去滓取汁分三服下肉爲度梅師方

治飲食不消氣喘不得息用葶藶子三兩炒令黄擣爲末以水三升煑大棗三十枚得汁一升内藥中每服如棗大煎至七合頓服外臺秘要

治食魚鱠及生肉積於胷膈不消化欲吐不出積聚欲成癥瘕用朴硝如雞子半塊大黄一兩二味㕮咀以酒二升煑取一升去滓盡服之立消如無朴

硝以芒硝代之千金方

治或因食麪令人腹脹以煖酒和姜汁飲一二盞即消備急方

治食飽過多但欲卧而腹脹熬神麯令香杵服方寸匕以大麥芽者佳肘後方

治食物過飽遂成痞膈用馬牙硝一兩碎之吳茱萸半升陳者煎濃汁後投硝乘熱服之良久未轉更盡一服

治食果傷腹脹氣急取肉桂研末飯丸如菉豆大每服十丸未瘥再服救民易方○又方用肉桂一兩麝香

一錢另研爲末飯丸菉豆大每大人十五丸小兒七丸白湯送下不拘時

治脾胃不足過食瓜果心腹堅脹痛悶不安以塩二兩水一碗煎消頓服吐下即安

治初覺傷食傷酒傷風以酸虀汁三大碗煎三五沸於避風處先飲半碗以手揉肚再飲半碗又以手揉肚更飲更揉直至厭足心無所容以雞翎探咽喉中令吐盡煎葱醋辣湯投之以衣被蓋覆汗出愈

治停食或因醉飽即睡胷膈痰飲積熱氣結滿悶用

陳皮半兩微炒爲末以水濃煎如茶呷服即寬

治酒食過飽滿悶用青皮二兩水浸去穰炒黄葛根一兩縮砂半兩爲末和勻濃煎茶調一二服可常服化食消氣醒酒不拘時易簡方

治飲酒過度用驢蹄硬處削下者以水煮汁令飲之經驗方

治酒醉不醒搗葛根絞取汁服一二盞或乾葛根剉水煎服千金 ○又方用菘菜子一合細研水一盞調二服聖惠方 ○又方取乳柑子二兩焙乾爲末以三錢匕水一盞煎三五沸入塩少許如點茶法服

妙

治酒積面黄黑色腹脹不消用猪槽頭肉一兩細切搗爛和末作一丸紙裹火煨令香熟取出臨卧細嚼酒嚥取下病根

治酒積用龍腦二錢木香甘遂各一兩爲末每服一二錢温酒或葛根湯調服○又方用豆豉葱白各半升水二升煮取一升頓服○又方用赤小豆煮汁熱飲即愈斗門

酒疸用陳皮芫花等分爲末每服二三錢温酒調下日二服

治茶積用花椒爲末麪糊丸桐子大每服十丸茶湯送下　乾坤生意方

痞疾門

治小兒腹中因驚爲癖疾遂成痞塊用猪澁脾七箇新針七箇每一針刺一孔脾爛爲度用皮硝七錢每一錢搽一脾磁器盛七日鐵器焙乾又用水紅花子七錢同脾搗爛爲末無灰好酒空心調下一年以下者一服可愈五年以下者二服十年以下三服○又方用水紅花或子一碗用水三碗以桑柴文武火煎成膏量痞大小帛攤貼於患處以無力爲度仍將膏用酒調服忌腥葷油膩之物如不飲酒白湯下○又方著葉獨蒜塩穿山甲炒熟爲

末用好醋擣成餅量瘡大小貼之兩炷香爲度其
瘡化膿血從大便出

治小兒積塊用大黄朴硝各一兩爲末以大蒜擣膏
和勻貼塊上　醫經大旨

治男婦五般積氣成聚用黑牽牛一斤生爲末八兩
餘滓於新瓦上炒香放冷再擣取末四兩共十二
兩拌勻煉蜜丸桐子大患積氣至重者三五十丸
陳皮生姜湯下空心臨卧服　外臺祕要

治小兒癖疾多爲停飲所致用黑牽牛一兩半炒半
生蘿蔔子五錢共爲末擣蘿蔔汁打糊爲丸如黍

米大每服二三十丸病在上食後米飲下病在下食前服〇又方用白芥子擣膏攤帛上貼塊上待旬日一易之張真人萬應方

治痃癖癥結及諸蟲毒用馬齒莧和塩醋煮一碗空心食有蟲盡出

治腹中痃癖諸塊用雄雀屎和乾姜桂心艾等分爲丸小豆大空心米飲服十丸〇又方用鱉甲燒黄合訶梨勒皮乾姜等分爲丸空心溫酒或醋湯下三十丸

治癖癥用郁李仁湯去皮與麪和擣爲餅如乾加淡

水作餅如病人手掌大作二餅炙黄熟空心食一餅當快利如不利更食一枚或食熱粥以利爲度若至午後利不止即以醋飯止之病未盡去一二日後更一服以病盡爲限忌食生物酪及牛肉無不效者○又方用緑礬四兩爲末以麪二兩作皮包緑礬蒸熟以胡桃仁十枚杏仁二十四枚去皮尖研爛胡椒三十粒共搗如泥丸桐子大每服二十丸空心温酒下 如丸硬可加蜜丸

治積聚癥瘕並去三尸益氣用雄黄二兩爲末九度水飛過入新竹筒以蒸餅塞筒口蒸七度用粉脂

一兩丸如菉豆大日三服酒下七丸九丸或十丸三年後百病皆除末不飢渴 證類本草

治腹脹積聚癥瘕用葶藶一升炒黄酒五升浸七日日服三合 千金方

灸癖法於後脊中離四指癖在左灸右在右灸左穴與臍平

治癖用大黄十兩爲末醋三升白蜜二匙同煎堪丸桐子大一服三十丸生姜湯下以利爲度小兒減服 衛生易簡方

治腹中癖瑰用大黄朴硝等分爲末以葱蒜研爛和

匀如膏厚攤絹帛上貼患處即消軟

治癥瘕腹中有塊硬如石或刺痛用虎杖根一斗乾搗酒漬飲之日三服

治卒暴癥瘕腹中有物堅如石刺痛欲死用蒴藋根一小束洗淋去水細劈酒二升浸三宿煖温服五合至一升日三若欲速得服於熱灰中温令味出服之此藥無毒大驗

治鱉癥腹中似有鱉塊取藍葉一斤搗以水三升絞汁一升日三服千金方

治卒暴癥瘕腹中有如石刺日夜啼呼取牛膝二斤

用清酒一斗浸之密封器中以熱灰火微煑沫出每服五合至一升量力加服（食醫心鏡）

治痞用水中長蕨菜淡煑食三日卽打下惡物仍要食淡食一月方可○又方用木鱉子七枚去殼擣爛好醋拌勻以精猪肉四兩薄切塗藥炙熟令患人旋嗅旋食服月餘日愈忌食煎炒物

治鱉瘕取白馬尿一盞溫飲之卽消（醫說）○又方用白馬尿一盞生雞子白三枚煎二合空腹頓服不移時卽當吐出小鱉瘥○又方研胡粉黍米泔汁溫服大效

治食魚肉等成癥結諸毒在腹取狗糞五升燒爲末用綿裹入磁罈内酒五升漬過宿將酒澄清分作十服日進二服其癥隨便出之外臺秘要

熨癥法用茱萸一斤以好酒炒熱將袋盛熨癥塊上如冷再易之癥移走隨熨候消方止

治鱉癥用新熟黍米以水淘取泔汁生飲一升不過三度愈

鼓脹水腫門

治十種水鼓病腫滿喘促不得眠用螻蛄五枚焙乾爲末食前湯調服一錢小便通效○又方用青頭雄鴨以水五升煮汁一碗飲盡厚被蓋取汗之效或白鴨如常作羮食之○又方用鯉魚一頭重一斤以上和冬瓜葱白煮羮食之 備急方

治水鼓石水腹脹身腫用肥鼠一枚剥去皮細切煮粥或作羮空心食之二三次消 奇效单方

治水腫喘急二便不通用郁李仁杏仁薏苡仁各等分爲末米糊丸桐子大每服七十丸空心米飲下

奇效單方

食治老人水氣面目手足浮腫腹脹緊急用桑白皮四兩細切青粱米四合研右煎桑汁下米煮作飲空心漸食常服尤佳安老方

食治老人水氣腫脹悶亂手足浮腫氣急煩滿用赤小豆三升淘淨白樟柳根好者切一升右和豆煮爛空心常食豆卽飲汁勿別雜食二三服立效千金方

治水腫胷中氣滿用生商陸去皮切如豆大許一盞以水三升煮一升爛下粟米二合煮粥食之本草集要

治水腫腹大如鼓或遍身皆腫用大戟白牽牛頭末木香等分爲末每服三錢以豚腰子一對劈開摻藥在內煨熟空心食之如食左腰子塌左腫食右腰子塌右腫如未全去於腹遶臍塗甘遂末飲甘草湯少許其腫盡去衛生簡易方

治水腫用大戟木通木香各二錢爲末以猪腎一箇劈開入藥末在內仍合住用綿纏縛紙裹水濕於灰火中煨熟去紙嚼服少頃利四五行即愈須忌口

○又方用香薷大葉者煮濃成膏爲丸桐子大每服五六十丸空心白湯下千金方

○又方搗牽牛頭

末每服一錢許空心白滚湯調服○又方用山梔子仁炒爲末每服一錢米飲調下千金方

治水病無問年月深淺雖腹脹惡心用大戟當歸陳皮各一兩㕮咀水二升煎七合頓服利水二三升勿再服後二三日服至重不過三服便瘥禁食油膩塩醋不忌再發難治張尚容方

治水氣遍身浮腫氣促坐卧不安用牽牛二兩微炒爲細末烏牛尿浸一宿平日入葱白一握煎十餘沸去滓空心分二服水從小便中下聖惠方

治水腫坐卧不得頭面身體悉腫取東引桑枝燒灰

淋汁煑赤小豆空心食令飽饑則再食飲之普濟

治水蠱用巴豆九十枚去心皮炒黄色杏仁六十枚去皮尖炒黄色二味擣丸小豆大每服水下一丸以利爲度勿飲酒外臺秘要

治水蠱病初得危急取烏牛尿每服一合日服以瘥爲度衛生簡易方

治氣鼓水脹乳腫用狗肉一斤細切和米煑粥空心食之作羮臛食亦佳

治水病洪腫氣脹不能消食用乾香薷二三十斤濕者焙用剉細入釜中水浸出香薷數寸煑令氣盡

去滓澄清漸漸火煎成膏丸桐子大每服五丸日三服徐徐加服小便利爲度

治水腫及遍身暴腫小便澁用葶藶三兩搗爛大棗三十枚水一升半煎一升去棗入葶藶於汁中煎稠丸桐子大空心木香湯或米飲下三十丸

治風水腫腹大臍腰腫痛不可轉動冬麻子半升水研濾取汁米二合煮粥入葱椒姜空心服

治水氣皮膚痒用枳殼一兩爲末茶煎呷無時明日

治水腫用白商陸細切一升羊肉六兩水一斗煮六升去滓將肉和葱豉作臛如常法食

治水病初得危急，用冬瓜不限多少任意食極效

治浮腫用黑牽牛半生半熟搗爲末每服二匙以桑白皮煎湯以木香濃磨調服 濟生便宜方

治遍身浮腫小便不利用猪苓五兩搗碎水煎分服日每一服加之 楊氏產乳方

治氣喘促遍身浮腫小便短澁不利用杏仁一兩去皮尖研和米水煮粥熱食 食醫心鏡

治身體手足卒腫取蚯蚓糞爲末以隔年陳醋調糊塗腫處卽消

治滿身卒腫面皆滿大用苷遂末一錢猪腎一枚作

七片塗末炙熟〻食至四五片當覺腹內腸鳴小便利〻又方更入〻木香一錢共入腎中以薄荷葉裹定再外以濕紙〻裹煨熟臨卧細嚼酒下當下黄水是效

治遍身浮腫用〻赤豆一升水五升煮三升去豆內酒五升煎三升〻分三服未瘥再服_{千金方}

治腿浮腫用羌活蘿蔔子微炒各等分爲末每服三錢空心温酒〻調服_{醫林集要}

治腫滿小便少〻用地龍猪苓針砂各等分爲末以葱涎調敷臍中〻寸高以帛束之

治卒腫滿身面皆腫用皂角刺炒令黄剉三升以酒十碗煎至四碗每服一盞日二服单方

治酒腫及脾虚發腫蘿蔔十枚皂角五片二味以水同煮乾去皂角將蘿蔔搗爛入蒸餅和丸芡實大又以蘿蔔煎湯如意送下

治一切腫用萆麻仁搗爛傅之○又方搗紫檀木醋調傅腫上衛生簡易方

治腿脚腫用瓠子種空殼煎湯空心服

治腰膝痛脚腫不能履用威靈仙酒洗晒乾爲末每空心温酒調服二錢或蜜丸温酒下

治男子陰腫核大如升人不能治者以馬鞭草搗爛

塗之王玗方

治婦人陰腫堅硬用小枸杞切碎炒熟舊絹作囊盛

熨冷即易之備急方

膈噎門 附翻胃

治五噎心膈氣滯煩悶吐逆不下食用蘆根五兩剉細水三盞煎至一盞去滓溫服（醫林集要）

治膈氣噎食服藥無效者用巧婦窠（即燕子窩）燒灰為末每服三錢溫酒調下一窠可治一人（千金方）

治噎膈氣不得升食不能下收隔年黑牛糞搗為細末每服二錢蜜水調下（千金方）

治卒噎膈氣飲食不下用杵頭糠蜜丸如彈子大無時含一丸嚥津下（衛生易簡方）

治胷中氣噎食不下者喉中如有肉塊用昆布二兩

洗去鹹水小麥二合右件以水三盞煎候小麥爛熟去滓不拘時服一小盞仍揀取出昆布不住含三兩片嚥津

食治老人噎病心痛悶膈氣結飲食不下研桂心末二兩先以粳米四合淘淨水煮作粥半熟次下桂末調和空心日一服亦破冷氣殊效

食治老人噎病食飲不下氣塞不通煎熟湯一升熱下白蜜一兩調之分二服愈

食治老人噎病氣塞食不通吐逆用土蘇二兩白蜜五合生姜汁五合相和微火煎之令沸空心服半

匙細細丁汁 安老懷幼方

治噎塞不通用羚羊角燒灰爲末水調方寸匕服○又方收狠咽喉結陰乾爲末以半錢於湯飲内服之 本草集要 ○又方用五靈脂研爲細末以狗膽丸如櫻桃大每服一丸酒下○又方用頭垢一豆大漿水煎服立愈 千金翼 ○又方用黑牽牛四兩伏龍肝四兩炒擣取頭末四兩每服七錢以燒酒服下效 本草集要 ○又方用鸕鷀嘴御之遂下 千金方 ○又方用寡婦木梳一枚燒灰爲末煎鑰匙湯調下 備急方 ○

治噎食吐逆用黄丹不拘多少以棗肉丸雞頭實大

每一丸以針挑簽於燈焰上燒少時以人乳汁送下

治噎食用香附子炒去毛爲末酒煎陳皮湯調一二錢服日三亦治心痛○又方取人糞入蘿蔔内火煉三炷香取去爲末每服三分黄酒調下服三次愈（張真人萬應方）○又方採嫩桑藍葉三錢焙乾末化石灰一塊如鴨子大沉香五錢如不納前藥可加如納不用此石用好燒酒一斤以前二味浸一宿每日飲一盞以効爲度候疾安不吐出以雞肉仍燕前酒以大效則止○又方用蓽澄茄白豆蔻等分

爲末無時乾舐嚥乾坤生意方○又方用羚羊角屑不拘多少爲末飲服方寸匕亦可以角摩磑上良外臺秘要

治翻胃用五靈脂五錢丁香一兩辰砂一錢右爲細末以狗膽調作丸如彈子大每一丸沸姜湯化下就以美膳呷之

治翻胃嘔吐飲食不下食之即吐取蚯蚓糞一兩南木香五錢爲末以神麯打糊丸桐子大每服五十丸陳皮姜湯食遠服醫林集要方○又方取粟朋殼以水濃煎飲之效本草集要

治翻胃用棠梨葉以油炒去刺爲末酒調服○又方用白罌粟米二合人參二大錢山芋五寸長細切水一升二合煮取六合入生姜汁鹽花少許攪匀分二服不計早晚食之亦不妨別服湯丸（圖經本草）○又方用黑鉛一兩器中鎔化以雄黄末三錢入於鉛内攪炒爲末羅細杵飯丸如菉豆大每服五分水酒下極驗○又方用猪肚一枚連屎煆爲末棗肉擣丸米飲下數十丸（張仲景方）○又方用附子一箇最大者坐於磚上四圍著炭火漸逼淬入生姜汁又依前法逼乾復淬之約生姜汁可盡半碗許擣

羅為末以粟米湯下一錢匕不過三服瘥斗門方○又方取芭蕉汁七合生姜汁一升相勻分為三服梅師方○又方用大棗一枚去核裹全斑貓一箇慢火中煨熟去貓以棗空心食之驗○又方用大附子切開剜孔以丁香四十粒安孔內仍合定線縛置砂銚內以生姜汁浸過附子慢火炙乾取丁香附子為末於病者手掌心內不時舐津嚥下○又秘方於日蝕日曝穀至月蝕日碾擣為末收貯遇病者每米二合作羹粥飯食之再不翻經驗方○又方用隔二三年陳柿餅為末以手掌時時舐津嚥

亦效○又方羸弱不欲食母姜二斤搗爛絞取汁撥粥服作時如葛粉粥法兵部手集

治反胃吐食胸心痰水用陳皮爛蜆殼燒灰爲末每服飲下方寸匕亦治失精

治反胃吐食上氣用白芥子日乾爲末酒調方寸匕服衛生易簡方○又方取小芥子日乾爲末酒服方寸匕千金方

治反胃嘔吐無常粥飲入口即吐困弱無力垂死者取上黨人參二大兩劈破水一大升煮取四合熱頓服日再兼以人參汁煮粥常服

治反胃嘔吐用大半夏三升人參三兩白蜜一升以水一斗二升和揚之一百二十遍煑取三升半溫服一升日再一服亦治膈間支飲又主嘔噦穀不得下眩悸半夏加茯苓湯半夏一升生姜半斤茯苓三兩切以水七升煎取一升半分溫服之亦治心下悸半夏麻黄右二味等分篩末蜜丸如小豆大每三丸日三服 張仲景方

治嘔吐百藥不瘥生姜一兩切如菉豆大以醋醬七合於銀器中煎取四合空腹旋呷之 千金方

治反胃氣冷食下遂吐以白豆蔻仁三枚擣羅細末

好酒一盞微温調下並飲三二盞佳　證類本草

治脾胃虛弱反胃嘔吐用大附子一枚姜汁一碗煑乾丁香一粒共爲末每少許安掌心舐服

治胃虛不消食凡飲食入胃皆變冷水反吐不停用赤石脂爲末米飲調服方寸七日三服少少加進終身不吐

治胃熱腸寒善食而飢小腹脹痛大便或澁用青皮黃連三稜蓬朮各一兩巴豆霜一分右爲末麪糊丸菉豆大每服三丸至五丸茶湯任下

治胃寒腸熱水穀不化腹脹痞滿洩痢不已用川烏

去皮半兩梔子乾姜各一分爲末用生姜汁打糊
丸如桐子每服五丸食前温酒下日二服衛生易簡方
治膈上煩熱多渴通九竅滑石二兩搗碎以水二盞
煎取二盞去滓下粳米二合煮粥温酒食之聖惠方
治元藏傷冷及開胃附子炮過去皮劑搗羅爲末以
水兩盞入藥二錢塩葱棗姜同煎取一盞空心服
大去積冷暖下元肥腸益氣酒食無碍
治翻胃用狠舌一箇焙乾每服三錢好酒下
治噎用人舌焙乾每服三錢食後好酒下○又方用
古墓內石瓶鏵內水服之立效○又方用軟石膏

桑柴煆七次爲末醋糊爲丸桐子大每服七八十丸食後沸湯下

治噎食湯水難下用藍葉一大葉每日空心口中含之有汁徐徐嚥之

治膈噎胷中有虫用雄黄五錢五靈脂一錢硇砂五分爲末滴水爲丸桐子大每服七八十丸空心燒酒下忌猪羊雞肉不忌再發難治以上涇陽醫士王玎經驗方

諸氣門

治氣壅關格不通小便淋結臍下妨悶兼痛用滑石二錢研如麪以水五六合和攪頓服　廣利方

治氣壅上用赤小豆和通草煎服之當下氣無限　杜壬方

治錯喉氣不通用冷水徐灌數口即順

治三焦氣不順胷膈壅塞頭目昡暈涕唾痰涎精神不爽用牽牛四兩半生半熟不蛀皂角酥炙二兩爲末姜汁煑糊丸桐子大每服三十丸荊芥湯下

治氣不升降胷膈痞塞喘促氣短及脾胃留飲噫酸

用香附子三兩去毛甘草二兩炙硇砂一兩沉香半兩為末每服二錢入鹽少許沸湯點服千金方

治胷膈痛徹背疼心腹痞滿氣不得通用括蔞子炒熟取仁研膏糊丸桐子大米飲下十五丸本草集要

治上盛下虛氣不升降陰陽不和胷膈痞滿飲食不進肢節倦痛用沉香二錢半剉大附子五錢炮去皮劑右剉作一服生姜十片水煎服證類本草

治氣不升降用大附子一枚炮切二服水一盞煎別以水磨沉香臨熟入藥內熱服本草集要

調治一切氣可升可降用香附子炒六兩藿香葉一

兩爲細末每服二錢食前沸湯點服奇效良方

治真陽不足上氣喘急自汗氣短眩暈但是陽虚氣弱之證皆治之用揀參五錢大附子三錢炮剉作一服生姜十片水煎服奇效良方

治氣不接續氣短用蓬莪术一兩金鈴子去核一分爲末入硼砂一錢煉過研細和匀每服二錢盐湯或温酒下空心服兼治滑泄經驗方

治上氣急滿坐卧不得用鱉甲以土炒黄一兩研細末燈草心一捏水二盞煎半盞食前調一錢匕服食後蜜水調一錢匕服千金翼

治卒上氣喘急咽息欲絶用人參末酒服方寸匕日五六服

治膈下冷氣或酒食飽滿用青橘皮四兩湯浸一宿去穰入塩七錢拌匀炒焦爲末每服一錢半茶末半錢水一盞煎七分温酒如不用茶沸湯點服亦妙可常服

治諸冷氣用胡椒一兩硫黄一兩爲末黄蠟一兩溶化作丸硃砂研末三錢爲衣外以金箔貼之如桐子大每服五七丸酒下千金方

治心脾一切冷氣刺痛用丁香一兩白礬一兩爲末

以雞子二三枚好醋中煮熟離藥細嚼嚥下千金翼

治膈氣寒氣熱氣憂氣喜氣驚氣怒氣山嵐瘴氣積聚堅牢如杯心腹刺痛不能飲食時去時來發則欲死用香附炒姜黃甘草爲末每服一二錢食遠姜湯調服斗門方

治伏梁氣結聚在心下不散用霜後不落桃葉三兩爲末每服空心温酒調二錢匕服證類本草

治氣結者用酒服郁李仁四十九粒瀉尤良亦破癖氣除四肢水氣尤佳醫林集要

治心腹脹滿氣短用草豆蔻一兩去皮爲末以木瓜

生姜湯調下半錢救民易方

治心腹虚氣欝膨悶不食用茯神去皮木爲末煉蜜丸桐子大每服七丸温酒下日三服亦治邪魅

治心脇下虚氣脹滿用陳皮爲末酒調服或作丸服氣自消散○又方用紫蘇子擣爲末隨食服之氣亦散

治諸氣走注風毒疼痛用白芥子擣末以雞子清調傅疼處

治走氣疼痛用酸醋拌麩皮炒熱熨之備急方

治錯氣腰疼用姜茶滴入香油數點頓服

治風順氣利腸以紫蘇子一升微炒杵以生絹袋盛入於二斗清酒中浸三宿徐徐飲之聖惠方

治一切氣疾用硇砂仁一兩香附四兩甘草五錢為末每服一錢鹽湯點下入姜煎亦可衛生寶鑑方

○又方用香附四兩炒天台烏藥二兩炒粉草五錢炙為末每服二錢鹽湯調下千金方

治膜內氣及氣塊用延胡索為末以豬胰一具切作塊子炙熟蘸末食之養老書

治毒氣在皮膚中流轉不出取白楊枝細剉酒浸服之不拘時證類本草

治氣癖於膜外流於兩脇氣逆喘急用胡椒一百五十粒木香不見火二錢全蝎去毒十枚醋糊或粟米飯丸桐子大每服二十丸橘皮湯下

治男氣瘕小腹堅結如杯盤婦人月候不通往來潮熱或痢羸瘦用生地黃十五斤杵絞乾漆半斤爲末慢火熬稠丸桐子大每服五七丸温酒不時下

治痃癖氣塊用桑柴灰淋三升汁以鼈一枚同煑如泥去骨再煑如膏丸桐子大每服十丸隨食飲下

虛損門 附虛煩

治虛損用甘草三兩炙每旦以童便煎四五沸頓服之○又方用醍醐二大兩煖酒一盃和醍醐一匙服之 外臺秘要

治諸虛百損用破故紙二兩隔紙炒香熟白茯苓一兩爲末沒藥一兩以無灰酒浸飴糖酒糊丸桐子大每服二三十丸空心熟水下不問老少服之皆效破故紙補腎茯苓養心沒藥養血三者既壯何病之有

食治老人虛損羸瘦助陽壯筋骨用羊肉二斤黄芪

一兩人參一兩白茯苓一兩棗五枚粳米三合先將肉去脂膜取腎精肉四兩細切餘一斤十二兩以水五大碗並藥等煎取汁三盞去滓入米煮粥臨熟下生肉四兩更煮入五味空心食養老書

食治老人腎氣損虛陰痿㿉痺風濕肢節中痛不可持物用白石英二十兩磁石三十兩搥碎右件藥以水二斗器中浸於露地安置夜即揭蓋令得星月氣味每日取水作羹粥及煎茶湯皆用之用却一升續添一升如此經年諸風皆瘥氣力強盛顏如童子安老方

治五臟虛損羸瘦益氣力堅筋骨用胡麻九蒸九曝每取二合用湯浸布裹挼去皮再研水濾取汁煎飲和粳米粥食之

治肺臟虛寒採五味子紅熟者蒸爛取濾汁去子熬成稀膏量酸甘入蜜再上火待蜜熟後冷器中作湯時時服 聖惠方

治下焦虛冷小便數多瘦損無力取山藥半斤刮去皮以刀碎切令細研爛於鐺中煑酒一二沸下山藥不得攪待熟著少鹽葱白更添酒空心服飲一二盞妙 食醫心鏡

治虚弱羸瘦四肢無力用猪腎一對去筋膜切枸杞葉半斤以豆豉一大盞半相和煑作羹入塩椒葱空服食之

治虚弱昏昏常睡取馬頭骨袋盛枕之即漸清爽無昏睡瘥

治骨髓虚弱用鹿茸五兩去毛塗酥炙微黄爲末以酒二升於銀器鍋内慢火煎成膏貯磁器中每服半匙温水調下食前服之經驗方

治腎虚腰脚無力取生栗袋盛懸乾每日平旦喫十顆次喫猪腎粥

治諸虛盜汗不止及體虛失血大效用中桂三錢大
附子四錢炮剉作一服姜五片棗二枚水煎服

治膽風毒風虛實不調昏沉多睡用酸棗仁一兩臈
茶二兩以生姜汁塗炙微焦爲末每服二錢水七
分煎五分無時溫服仲景方

治精血耗竭面色黧黑耳聾目暗口乾多渴腰痛脚
弱小便白濁上燥下寒用鹿茸酒蒸當歸酒浸等
分爲末煮烏梅肉丸桐子大每服五十丸空心米
飲下

治精血衰弱潮熱自汗怔忡驚悸肢體倦怠但是一

切虚熱之症皆治之用嫩鹿茸酥炙大附子炮去皮各四錢剉作一服姜十片水煎服千金方

治精血虚耗不燥不熱用熟地黄兎糸子等分爲末酒糊丸桐子大每服七十丸人參煎湯下氣不順沉香湯下心氣虚茯苓湯下心煩不得睡酸棗仁湯下腎氣痛茴香湯下小便少車前子湯下小便多益智仁湯下奇效方

治虚勞用枸杞葉半斤細切粳米二合石器中煮作粥五味葱白豆豉調和食之○又方用兎糸子二兩酒浸十日水淘焙乾爲末入杜仲一兩蜜炙擣

用薯蕷末酒煮爲糊丸桐子大空心酒下五十丸○又方取青蒿細切水三升童便五升煎取一升半去滓熬成膏丸桐子大空心臨卧每服酒下二十丸○又方青蒿細切每服三錢水一盞童便半盞煎八分服○又方用猪肚裝蓮子肉不拘多少酒浸一宿入肚内以水煮乾取出切碎焙乾爲末酒糊丸菉豆大每服五十丸食前温酒下○又方用猪肚子釀黄糯米蒸熟搗爲丸桐子大每服白湯下五十丸三服 備急方

治虚勞用童便二盞無灰酒一盞以新瓷瓶貯之用

全猪腰子一對放在瓶内以泥封瓶口日晚以慢火養熟至半夜止五更初再以火温之發瓶飲酒食腰子病篤者一月效瘦怯者亦可服〇又方用胡黄連蛇床子前胡各三錢犍猪胆一箇脊髓一條童便一鍾水一鍾煎至一鍾滓再煎二次服四劑可愈〇又方用生地黄熟地黄天門冬麥門冬各去心一兩人參半兩爲末煉蜜丸桐子大空心温酒或塩湯下三十丸忌萊菔

治虚勞極冷陽道衰弱小便滑數遺瀝用烏頭炮去皮劑茴香炒等分爲末姜汁煮糊丸桐子大每服

十五丸加至三十丸空心溫酒送下奇效良方

治虛勞口乾用麥門冬一兩末大棗三十枚取肉右二味以蜜一升和令熟五升米下蒸之任性服○又方用羊脂如雞子大醇酒半升棗七枚劈合漬七日取棗食之立愈千金方

治虛勞煩悶不得睡用大棗二七枚葱白七莖右二味以水三升煑取一升去滓頓服

治虛勞不得眠用酸棗榆葉各等分右二味爲末蜜丸桐子大每服十五丸日再服

治虛勞尿白濁取榆白皮切二斤水二斗煑取五升

分五服千金方

治虛勞尿血用鹿角膠三兩炙搗爲末酒二升和分溫服

治虛勞不足用五加皮枸杞根白皮各一斗右二味㕮咀以水一石五斗煮取汁七斗分取四斗浸麯一斗餘二斗用拌飯下米多少如常醸法熟壓取服多少任性奇效方

治虛勞少精用鹿角爲末白蜜和丸如桐子大每服七丸日三服十日大效○又方漿水煮蒺藜子令熟取汁洗陰一十日大效千金方

治虛勞目暗三月三日採蕪菁花陰乾爲末空心井花水調下二錢七久服長生 證類本草

治虛勞下焦虛弱骨節煩疼肌肉急小利不利大便數少或秘結口燥少氣淋石用大麻仁五合研水二升煮去一半分服四五劑瘥 本草集要

治熱勞用玄參柴胡各等分㕮咀每服三錢水一鍾生姜三片棗一枚煎六分不拘時服 千金方

治虛羸勞熱用生枸杞子五升好酒二斗研之勿令碎浸七日漉出去滓飲之初以三合爲始後任性飲之 聖惠方

治病後虚勞取五七歲黃牛乳一升飢則徐徐飲服至十日有效

治虚羸陽道不舉五勞七傷能食下氣用巴戟天牛膝生各三斤右二味㕮咀以酒五斗淹浸服令酒氣常相續勿至醉吐忌生冷猪魚蒜春七日秋冬二七日夏勿服 衛生易簡方

治五勞七傷明目補虚益筋力長精神理一切風氣用仙茆根八九月採之竹刀削去黑皮切如豆大米泔浸二宿陰乾為末煉蜜丸桐子大每服二十丸空心酒飲任下忌食牛肉

治五勞七傷明目收冬瓜子七升絹袋盛絞沸湯中三遍訖以醋五升浸一宿㬠乾爲末酒服方寸匕日三服

治男婦五勞七傷下元虛冷一切風病四肢疼痛用破故紙十兩爲末胡桃肉二十兩去皮研如泥入前末更以蜜和勻如飴盛甆器中每旦煖酒二合調一匙服之便以食壓忌羊肉

治老人五勞七傷陽氣衰弱脚腰無力用羊腎一對去筋膜脂細切肉蓯蓉一兩酒浸一宿刮去粗皮細切右件藥和葱白五味如常法作羹食之張真人萬

應方

治男婦五勞七傷一切諸疾用杏仁一斗二升以童便煮七次取出用蜜四兩拌勻再取童便五升於鍋內重蒸取出露數日受以日精月花之氣任服

治勞瘵五內崩損湧噴血出斗升者用花蕊石煆過存性研如粉每服三錢甚者伍錢以童便一盞酒半盞若女人醋半盞食後調服立止其瘀血化爲黃水服此藥必踈解其體却服後以藥補之千金方

治勞止血後補藥用大人參二兩水二盞棗五枚煎一盞不拘時細細服之其人熟睡即愈衛生易簡方

治男子勞傷下元虛冷添精益氣用補骨脂一斤烏油麻一升和炒令麻子聲絕播去麻子取補骨脂爲末醋煑糊丸桐子大鹽湯或酒下 本草集要

治久病羸瘦不生肌肉水氣在脇下不能飲食四肢煩熱者取羊腎一枚蒼术一升並切以水二斗煑取九升一服三升日三服三日盡更作兩劑乃瘥 張仲景方

治形體黑瘦枯槁用臘月猪脂和大豆黄末和杵丸桐子大每服三五十丸空心溫酒或米飲下五升爲一劑二劑見效○又方用杏仁五升去皮尖雙

仁搗碎水絞汁研細再絞濾過用慢火於石器内前和羊脂如膏每日溫酒服一匕自愈○又方用破故紙十兩爲末胡桃肉二十兩去皮研入泥入前末更以蜜和勻如飴盛磁器中每旦煖酒二合調一匙服之便以食壓湯調亦可忌食羊肉

治心煩悶用白朮末水調一錢服衛生易簡方

治膽虛睡卧不安心多驚悸用酸棗仁一兩炒香爲末每服二錢竹葉煎湯調下證類本草

治膽虛不得眠者用榆白皮陰乾爲末每日朝夜用水五合末三錢煎如膏服千金方

治大病之後晝夜虛煩不得睡卧及心膽虛怯觸事易驚氣短悸乏怖或復自汗用橘紅一錢半枳實炒半夏炮各一錢甘草茯苓各半錢水一盞姜七片棗一枚煎服 奇效方

治發汗不得心中大煩骨節疼痛目眩惡寒食反嘔逆水穀不得其入用橘皮二錢半甘草炙竹茹各一錢人參少許水一盞姜三片棗一枚煎七分空心溫服

治大病後煩熱不安一切虛勞煩熱用地骨皮二錢半防風一錢半甘草半錢水一盞姜五片煎八分

温服

治胃口有熱嘔吐咳逆虚煩不安用人參一錢半夏二錢竹茹一團生姜七片水煎服一方加橘皮二錢

治抑結不散用下甲五兩側栢一兩半香附子三兩爲末生姜汁浸地黄膏爲丸空心任服 丹溪心法

治多睡取馬骨燒灰爲末水調服方寸匕日三夜二服 肘後方

治膽氣虚實不調沉重多睡用酸棗仁一兩生用金挺臘茶二兩以生姜塗炙令微焦搗羅爲散每服

二錢水七分煎六分無時溫服簡要濟衆

治膽虛睡卧不安用酸棗仁一兩炒令香熟搗爲細末每服二錢竹葉煎湯調下聖惠方

治夜不得卧用酸棗仁半兩炒黄研末以酒三合浸之先以糯米三合煮粥將熟次入酸棗仁汁再煮二三沸空心食之經驗方

治煩熱少睡用小麥作飯水調食之

治振悸不得睡用酸棗仁二升茯苓白术人參甘草各二兩生姜六兩六味切水八升煮取三升分四服胡洽方

治虛煩不得眠酸棗仁三升知母乾姜茯苓芎藭各二兩甘草一兩炙並剉以水一斗先煑酸棗仁減三升後内五物煑取三升分二服

勞瘵門

治疰病傳染一門悉患者但覺如此便宜急治用獺肝一具陰乾或焙乾爲末水服方寸匕日三服未瘥再作神效 醫說

治鬼疰癲癇及惡毒熱氣小兒諸癖用野猪膽水研棗許日二服效 證類本草

治屍疰用亂髮如雞子大一塊燒灰水服立瘥 養生書

治屍疰鬼疰傳染如覺宜急治用桃仁五十箇研水煑取三四盞一服盡當吐若病未盡除三二日再服 證類本草

治諸傳屍勞氣殺蟲去毒用川椒二斤擇去目合口者炒出汗爲末每服二錢空心米飲調下若麻痺暈悶少頃如不能禁以酒糊丸桐子大每服五十丸鹽湯下服至一斤瘵疾自瘥兼治腎冷諸痺肉桂煎湯下腰痛茴香煎湯下 贅說

治勞瘵用三四月採香草葉二三斤熟搗解衣坐之令氣入下部透腹中則尸蟲盡去仍以香草煮湯頻浴其蟲必死

治勞瘵殺尸蟲用庚申日去手甲寅日去足甲燒灰和水服則三尸九蟲皆滅名曰斬三尸 養生月覽

治勞取蟲用雄黄一兩爲末松脂一兩鎔和爲丸如蓮子大平旦吞一丸七日三尸盡去養生月老

治傳屍勞瘵用童子小便二盞無灰酒一盞貯新甆瓶内取全猪腰子一對置其中以泥封固日晚時慢火養熟至中夜止五更初以火溫之發瓶飲酒食猪腰子病篤者一月見效奇效方

遺精門 附遺尿失禁

治失精暫睡即泄白龍骨四分韭子一合爲散空心酒調方寸匕服 梅師方

治暖精氣益元陽白龍骨遠志等分爲末煉蜜爲丸如桐子大空心冷水下三十丸 出經驗方

治夢遺精以紫蘇子一升炒杵爲末酒服方寸匕日再服 外臺秘要

治夢泄精生韭子吞三十粒空心鹽湯下亦治白濁爲末酒服下 千金方

治失精用牡蠣炙黃爲末酒服方寸匕空心臨卧二

治腰腎冷夢與人交接洩精取柘木東行根白皮搗

服衛生易簡方

汁服本草集要

治虛勞尿精用十月霜後新韭子好酒八合浸一宿

次早日出時壯童子搗一萬杵平旦溫酒服方寸

匕日再服立瘥證類本草

治洩精用未連脫蚕蛾乾之爲末每服二三錢空心

溫酒調服奇效方

治失精漏泄久虛用蓮子去心一撮辰砂一分爲末

每服二錢空心白湯調下外臺秘要

治洩精用車前子草擣絞汁二合服之甚效百一方

治元氣虛寒精滑不禁大便泄瀉手足俱冷用陽起石火煅紅鍾乳粉各一兩爲末酒煮附子末糊丸桐子大每服五十丸空心米飲下經驗方

治精滑下元虛冷及疝氣婦人經脉不調大人小兒皆可服用獨活穀精草續斷茵陳等分爲末雞子清和丸桐子大每服五十丸空心溫酒下乾物壓之奇效方

治益精氣强志意聰利耳目以雞頭實三合煮熟去殼研如膏入粳米一合煮粥空心食之經驗後方

傳信尤易方卷之三 遺精門　　　　二十一

治男女喜夢與鬼交通恍惚者方截鹿角屑三指撮日二服酒下百一方

治玉莖硬不痿精流無歇時如針刺捏之則脆乃爲腎虛漏疾用韭子破故紙各一兩爲末每三錢水煎服日三服本草集要方

治年壯氣盛慾動意淫於外夢遺白濁用半夏一兩剉碎以猪苓末二兩同炒黃出火毒取半夏爲末糊丸桐子大候乾再用猪苓末二兩炒丸微裂同於瓷器內藏之空心鹽湯或溫酒下四五十丸簡易方

治便數白濁用白附子炮去皮剉爲末每服二錢以
水一盞半煎六分空心溫服

治腎虛白濁淋瀝夢泄盜汗用茯苓四兩龍骨二兩
五倍子十六兩爲末糊丸桐子大每服四十丸空
心鹽湯下奇效方

治漏精白濁用白茯苓白鹽煆過山藥炒各一兩以
棗肉和丸桐子大每服三十丸空心棗湯下千金方

治小便白濁有餘瀝夢泄用兎系子五兩白茯苓三
兩石蓮肉二兩爲末酒糊丸桐子大每服三十丸
空心塩湯下證類本草

治心經虛熱小便赤濁用蓮肉去心六兩甘草炙一兩爲末每服二錢燈草湯調下 經驗方

治元陽虛憊精氣不固小便白濁餘瀝驚悸夢遺泄精用白茯苓四兩去皮作塊猪苓一兩同水煮二十餘沸空心服

治精氣不固小便白濁用冬瓜仁炒爲末每服五錢空心米飲調下 百一方

治男婦遺精白濁諸虛百損下元淋澁等症無不應者用黄栢二斤熟糯米一升右取童便盛於盆內入藥九浸九晒復蒸晒乾爲末酒糊丸桐子大每

百丸溫酒下 經驗方

治夢洩失精用韭子一升治下篩酒服方寸匕日再服立效 證類本草

治遺尿用天台烏藥爲末每服米飲調下二錢日二服○又方用薔薇根細研好酒調服○又方用白紙一張鋪於所睡席下待遺尿於上日乾燒灰存性爲末勿令人知酒調與服○又方用益智仁一兩半酒一碗碎煎七分去滓溫服一方用枳殼亦好○又方用雞肶胵一具幷腸洗淨炙燒成灰男用雌雞女用雄雞爲末每服二錢酒調下○又方

用阿膠炒牡蠣煅鹿茸酒炙桑螵蛸炙等分爲末糯米糊丸桐子大每服五十丸空心鹽酒下奇效良方

治睡中遺溺不覺用燕窩中草燒黑爲末水調方寸匕服證類本草

治遺溺淋瀝用桑螵蛸炙焦白龍骨等分爲末每服二錢匕空心鹽湯調下大驗證類本草

治遺尿用羊肚盛水令滿繫兩頭以水煮熟取開將肚内水頓服養老書

治小便多頻及消渇取入地三尺桑白皮炙黄黒剉以水濃煎汁隨意飲亦可入小米煮食之奇效方

治膏癉其人飲少小便多用秦椒一分炒出汗瓜蒂二分爲末水調方寸匕日三服 奇效良方

治小便數多用蓬术一兩金鈴子去核一分爲末入硼砂一分煆過研細和匀每服二錢空心鹽湯下或溫酒調下

治小便多及遺精餘瀝用益智仁二十四枚搥碎入鹽少許水一盞煎六分服日再服 醫林集要

治消腎小便數取鹿角一具炙焦擣末酒服方寸匕漸加至一匕半

治小便多利取雞腸草擣汁或煎服 證類本草

治小便多滑數不禁取金剛骨爲末每服三錢好酒調服○又方用知母黄栢剉碎酒浸透炒黄爲末氷丸桐子大先日莫食晚飯次日空心立服一百丸米飲湯下只一服効復食淡白粥一飡奇效良方

治心腎俱虚神志不守小便淋瀝不禁用真赤茯苓真白茯苓等分爲末以新汲水挼洗去沫控乾取地黄汁好酒同於銀石器内熬成膏作丸如彈子大空心嚼一丸鹽酒下奇效良方

治内虚裏寒自汗小便不禁用白龍骨三兩訶子十箇去核硇砂仁一兩靈砂一兩爲末以糯米粥丸

桐子大每服五十丸空心鹽酒下奇效良方

治下元虚冷小便頻數用香附子酒浸晒乾爲末酒糊丸桐子大每服五七十丸空心姜酒下百一方

治元氣不足小便頻多用天台烏藥益智仁各等分爲末酒煑山藥糊丸桐子大每服五十丸空心鹽酒下

治小便頻數用川萆薢一斤爲細末酒煑糊丸桐子大每服七十丸空心鹽酒送下奇效良方

治小便數多氣少走漏不香附子爲末食前湯酒任調服百一方

骨蒸門

治骨蒸用桃仁一百二十枚去皮雙仁留尖杵和爲丸每旦以井花水頓服訖量性飲酒令醉仍須吃水能多最妙隔日再服一劑忌百日不食肉千金方

○又方用石膏爲末每服方寸匕溫水調服以身涼爲度衛生易簡方

○又方用苦參末二兩芒硝二兩煉蜜丸桐子大每服七丸米飲下以身輕涼爲度

○又方用生地黄一升擣取汁分服若利減之以身涼爲度千金方

治骨蒸勞熱不得眠心煩用酸棗仁一兩水一盞半

研絞汁下米二合煮粥候熟下生地黄汁一合煮服之 本草集要

治骨蒸日凉至晚煩燥飲食無味細喘少氣兩足逆冷手心常熱變疰則蝕人五臟大便或澁用芒硝五兩爲末每服三錢米飲調下日二服 證類本草

治骨蒸虚熱諸勞煩燥用地骨皮防風各一錢甘草半錢水一盞生姜三片竹葉七片煎七分服一方加人參雞蘇 奇效良方

治骨蒸飲食不作肌肉發熱自汗若日夜間熱易治若日夜俱熱難愈用羚羊角爲末每服二錢七水

[illegible]下　千金方

治骨節熱積漸黃瘦用大黃半兩細剉以童便五合浸一宿煎三四沸去滓食前分二服如人行四五里再服　千金翼

盜汗門

治盜汗用黄栢知毋各一錢五分甘草五分右剉以水煎服（醫經大旨方）○又方用白朮四兩一兩石斛炒一兩麥麸炒一兩黄芪炒一兩牡蠣炒止用白朮爲末每服三錢米飲調下○又方用牙猪心一箇水二碗入砂鍋内煑爛熟爲度去心不用另用人參當歸各二錢半入煑心汁内煎至半盞去滓不拘時服猪心食否不拘（松篁岡方）○又方用防風去蘆牡蠣各等分爲末用浮麥一撮炒煎湯調二錢空心服○又方取浮麥一抄煎湯調防風末二錢服

○又方取椒目微炒搗爲細末每半錢匕以小麥煎湯下一合調臨卧服無不效者衍義方○又方用麻黄根牡蠣米泔浸火煆成粉黄蓍等分爲末每服三錢小麥百餘粒水一盞煎八分不拘時服經驗方

治久患盗汗取豆豉一升微炒令香清酒三升浸滿三日取汁令煖任意服之如未瘥再服孟洗方

治盗汗夜卧遍身出取桑葉早間乘露採摘炒乾爲末每服二錢空心温米飲調下衍義方

治盗汗下淄用醋浸三稜夏浸四日冬浸六日杵爲

末醋湯每服調下二錢七本草集要

治盜汗及陰汗出不已用牡蠣生爲末摻有汗處不過三次即止經驗方

治盜汗心虛用茯苓爲末每服一錢以艾煎湯調服救民易方

治虛人盜汗用黄芪六兩甘草一兩各以蜜炙十數次出火毒每以一兩剉水煎服經驗方

治夜汗不止用黄芪白术防風等分每服五七錢水一盞半煎七分溫服丹溪心法方

治氣虛陽弱虛汗不止肢體倦怠用黄芪蜜炙附子

炮去皮剤等分剉細每服四錢水一盞薑十片煎八分食前温服

健忘門

治心虛健忘令耳目聰明用戊子日取東引桃枝三寸枕之（千金翼方）○又方用菖蒲爲末酒服方寸匕（衛生易簡方）○又方用丁酉日密自至市買遠志著衣領中還爲末服之勿令人知（證類本草）○又方用商陸白者或採花陰乾百日擣末日暮水服方寸匕卧思念所欲事即於眼中自覺（養生書）

治心氣不定恍惚多忘用遠志去心菖蒲各二兩人參白茯苓各三兩爲末煉蜜丸桐子大以硃砂爲衣每服二十丸米飲下（本草集要）

治心神恍惚一時健忘用乳香一兩另研酸棗仁去皮油二兩辰砂五錢人參一兩半爲末煉蜜丸彈子大每服一丸溫酒送下 奇效方

治思慮過度勞傷心脾健忘怔忡用白朮茯神去皮木各二錢人參甘草木香各半錢水一盞生姜五片棗一枚煎七分溫服 奇效方

治心神不定事多健忘心火不降腎水不升用茯神去皮木二兩沉香半兩爲末煉蜜丸小豆大每服三十丸食後人參湯下 奇效良方

治心孔昏塞多忘用丙午日取鱉甲著衣帶中 奇效單方

補養門

金髓煎取枸杞子不計多少逐日旋採摘紅熟者去嫩蒂揀令潔淨便以無灰酒於淨器中浸之以兩月爲限用蠟紙封閉勿令透氣候日數足漉出於新竹器中盛貯旋於砂盆内研令爛細然後以細布濾過候研濾皆畢去滓不用卽並前浸藥酒及濾藥汁攪匀量銀鍋内多少升斗作數次慢火熬成膏切須不住手用物攪恐粘底不匀候稀稠得所待冷用淨瓶器盛之勿令泄氣每早晨温酒下二大匙夜卧服之百日有效 奇效良方

固陽丹取兔系子二兩酒浸十日水洗酒蒸去皮爲末更入杜仲一兩酥炙去系搗末山藥末酒煮糊丸如桐子大空心酒下十五丸經驗方

延年益氣壯元陽用破故紙十兩净揀去皮洗過搗羅篩令細用胡桃仁二十兩湯浸去皮再研如泥即入前末更以好蜜和攪令勻如飴糖盛於磁器中旦日以煖酒二合調藥一匙服之便以飯壓如不飲酒以煖水調服亦可忌食芸薹羊血餘無忌

修眞秘旨用胡麻三斗淨淘入甑蒸令氣遍取出日曬以水淘去沫却蒸如此九度以湯脫去皮令淨

炒香杵爲末蜜丸，如彈子大每服酒化十丸常服和五臟潤肺氣忌牛毋魚生菜等

補養膏用茯苓不拘多少新鮮者㕮咀片乾者搥碎入於甕內以水浸秋冬七日春五日澄去水面黄膜水再添水以小石磨研爲粉膏盛於生絹袋內必須寬大上用木先作圈圍上以平物壓之待水盡堅硬上取小兒乳汁一二碗漬浸汁盡以手分成大塊貯於磁罐器內朝暮不時取如大棗一二塊或酒或茶或白湯米飲任意服之極補益夏月不可作恐有天熱蒸壞不堪食之○又方用白茯

苓二斤何首烏一斤俱不經鐵器川椒去目炒甘草炙各四兩俱碾爲末煉蜜與前藥等分就熱和勻以磁器盛貯每日清晨用一匙好酒調服一方加大棗一斤○又方用犍牛髓煉蜜各三斤胡桃五十枚取仁杏仁去皮尖人參各四兩五味子一兩生熟地黃半兩俱擣研細置於磁器中密封口煑一周時收貯每日空心服一匙○又方用雞頭實三合煑熟去殼研膏同粳米二合作粥食之○又方用桑椹子熟時收之日乾爲末煉蜜丸如梧子大空心酒下四五十丸常服則良○又方用蓮

肉去心皮茯苓去皮研細水飛去觔各以好酒拌蒸過再搗細煉蜜丸如彈子大每服一丸細嚼酒下常服○又方用陳皮紫蘇子高良姜等分爲末煉蜜丸桐子大空心服一二十丸能消痰利氣補胃和中○又方用乾蓮肉一升慢火炒焦搗羅爲末粉草四兩去皮炙焦爲末和勻每日清晨一匙調服

補養地黄丸用茅山蒼术熟地黄各八兩乾姜五錢右搗爲末棗肉爲丸桐子大每服七八十丸空心淡鹽湯下

茯苓造化膏補脾胃滋腎生精可以常服白茯苓四兩去皮山藥四兩蓮肉四兩去心右為末用白晩米二升搗羅為粉入白砂糖一斤和匀再羅一遍入甑中蒸作箋刀界為薄片蒸熟或取出曝乾任意食之不可以木盖覆甑須用箋篷覆之則羔易熟今人蒸作不美多因用木盖覆甑之故

補虛用下甲二兩黄栢一兩右為末細切地黄酒蒸熟擂細丸服丹溪心法

大補丸治諸虛百損黄栢去皮鹽酒浸炒褐色為末酒糊為丸桐子大每服七八十丸空心酒下鹽湯

亦可〇又方黄栢去皮鹽酒浸炒褐色四兩知母去皮毛酒浸炒二兩敗龜板酥炙一兩爲末酒糊丸桐子大每服七八十丸空心酒下鹽湯亦可涇陽醫士王玎方

傳信尤易方卷之三終

尤易方卷之四

易州醫官鄭廷臣檢閱
涇陽賈　王珂校正

頭面門 附手足鼻衄

治頭面腫大疼痛并喉痹用殭蚕一兩為末姜汁丸如彈子大每服一丸井花水入蜜少許研食後徐徐呷歈

治頸項腫與頭相綂按之堅硬用漏蘆湯一劑服下發痒項刻消散 惟症奇方

治頭面及身腫如蛇狀取雨濕磚上青苔冷調塗立消

治頭面渾身生泡如甘棠梨破則出水內有石一片

如指甲大其泡復生抽盡肌肉不可治矣急用三稜莪朮各五兩為末分作三服酒調下惟症奇方

治頭面生瘡用熟雞子黃煎令油出以油和輕粉傅之

治頭面生乾濕癬瘡用白礬為末酒調塗之證類本草

治頭面熱發有光色他人手近如火炙用蒜汁半兩酒調下吐物似蛇遂安惟症奇方

治大人小人頭上軟癤取桃樹霜過不落桃奴為末油調傅之證類本草

治面上皯皰及婦人黑皰如雀卵色搗白茯苓末蜜

調傅之本草集要

治面上䵟䵳用白附子為末臨卧先以漿水洗面後以白蜜調末塗紙上貼之漸漸自落○又方用白殭蠶為末如前貼之奇效良方

治面皯用杏仁去皮擣膏和雞子白夜卧塗面明早以煖酒洗之奇效良方

治面䵟䵳風刺用苦參一斤赤芍藥冬瓜子各四兩玄參二兩為末每用步須手洗面上○又方用白附子白芨白歛胡粉等分為末淨洗臨卧以乳汁調一錢塗面旦洗去取牛乳亦可

治面䵟黑子用郁李核仁去皮細研以雞子白和如飴塗至晚淡漿洗之後塗胡粉不過五六日瘥 千金翼

治面上黑痣用寒食節前後取桑條燒灰淋汁熬成膏貼痣自落○又方用烏梅為末唾津調塗 千金方

治面上生瘡用平胃散末以冷水調塗之

治面上及遍身生瘡如猫兒眼有光彩無膿血冬則近頸名曰寒瘡多食雞魚葱蒜愈 惟証前方

治面上軟癤流膿不愈用爛船底燒灰為末油調傅極效

治面上瘢黶用木蘭香一斤以三年陳醋浸令沒百日出曝乾為末以傅之每日亦服方寸匕○又方取雞糞白爲末塗之○又方用白殭蚕衣魚鷹屎等分爲末以麪膏和塗瘥亦治一切瘢痕 千金方

治面上瘢痕皯黵瘡鼻用蜜陀僧為末乳汁調塗效

治面上白駁用肉桂為末唾和傅之白駁即白癜風○又方用蛇脫皮熟揉棄草中○又方用天河水洗之即空樹中籬頭也 證類本草

治面上粉刺用兎絲子擣絞取汁塗之瘥 子母秘録

治面風用益母草灰面湯和燒七次洗用之千金方

治面目上被打青腫以猪肝片貼之即消奇效單方

治渾身忽然肉出如錐痒痛不能飲食名血擁用赤皮葱燒灰淋汁洗内服淡豆豉湯數盞而愈

治臨卧渾身虱出約五升血肉俱壞而舌尖血出不止用塩醋湯飲十數次即愈惟證奇方

治遍身皮底渾渾如波浪聲痒不可忍抓則血出不能止名氣奔用苦杖青塩細辛各一兩水二碗煎數沸飲盡而愈奇效方

治手足皴裂血出疼痛及冒涉凍凌面目手足皴爛

疼痛用猪腦髓著熱酒中洗之瘥 養生書

治手足皴裂用獺四足燒灰以蜜調塗○又方取鵝尾罌塗搽 居家必用

治冬月手足開裂用香油半兩以慢火煎沸入黃蠟一塊同煎候溶入官粉五倍子末少許熬令稠紫色為度先以熱湯洗火上烘乾即以藥傅上以薄紙貼之 備急方

治寒足跟凍爛用五月五日午時採收艾同與姜葱揩一時許更不再發 養生書

治脚指腫爛如火燒瘡用綠礬飛過為末先以塩湯

洗瘡拭乾傅之百一方

治足筋卒痛用生姜半斤搗如泥貼裹痛處衛生易簡方

治指掣痛用醬和蜜溫傅之愈千金方

治手指忽腫痛名代指用烏梅仁搗以苦酒浸和以指漬之須臾瘥肘後方

治手指刀傷斷折去節痛血不止用葱白火煨乘熱搗爛再入唾涕和勻傅傷處以帛縛裹每日照前易之一二次痛血即止出藥性註解

治手足生蛇頭瘡腫痛甚者用寒水石雄黃為末水調傅之恠症奇方

治手足指頭害痛久不愈用雄黄研水塗數次即愈

千金方

治手足及腰折傷收寒食蒸餅不拘多少擣末酒調服有驗 附後方

治臂腿脛膝痛虎脛骨四兩粗擣炒黄羚羊角屑二兩芎藭四兩剉細無灰酒浸春夏七日秋冬倍之每旦空腹飲一盃冬間速要服以銀器盛於火爐中煖養三二日即可服不計深淺皆效

治遠行脚打成泡用水調生麪糊塗過夜即乾不可穿破次日難行

治陷甲生入肉常有血疼痛黄耆當歸等分為末貼瘡上若有惡肉研硫黄末貼（千金方）

治甲疽胬肉裹甲膿血疼痛須剔去肉中甲或成瘡不瘥用乳香末膽礬燒等分研細傅之肉消則瘥（經驗方）○又方取牡蠣厚處生擣細為末每服二錢研靛花酒調下如傷已潰爛以末傅之（經驗方）○又方用蓽澄茄半兩薄荷三錢荊芥穗一錢為末煉蜜丸櫻桃大每服一丸噙化嚥津○又方用小薊一把水二升煮取一升去滓分服（衛生易簡方）

治鼻內窒塞不通不得喘息用菖蒲皂角等分為末

每用一錢綿裹塞鼻中仰卧片時取效醫經大旨方

治鼻塞多年不聞香臭水出不止以蒺藜二握放當道車輾過以水一大盞煎取半盞仰卧先滿口含飯以汁一合灌鼻中不過再灌之嚏出一兩箇瘜肉似赤蛹蟲即瘥怪証奇方

治鼻塞燒麻鞋灰吹鼻中立通本草集要

治鼻衄取萱草搗汁一盞生姜汁半盞相合時時細嚥下兼治酒黃疸砂淋甚效○又方用蘿蔔搗汁灌入鼻中○又方用龍骨為末吹入鼻中○又方用自己髮燒灰吹入鼻中○又方用大紙一張作

八指用無根水蘸濕貼顖門上良久即止如不止用熨斗熨之以上俱涇陽醫士王玎方○又方用白芨末津調塗山根立上○又方用葱白一握搗汁滴鼻中餘葱挼酒飲服○又方用生姜自然汁磨好墨滴鼻中立止○又方用新汲水磨京墨飲之立止○又方用梔子仁燒灰存性為末以筒吹入鼻内亦治下血不止井花水調服

治衄血用黄葵子為末新汲水調二錢下

治鼻衄用枯白礬白龍骨各一錢麝香一毫各爲末和匀每用一字先將冷水洗净鼻内血涕然後吹

藥或以濕紙撚蘸藥入鼻内尤妙○又方用桔梗爲末水服方寸匕亦止吐血下血經驗後二方○又方用醍醐酒半盞蘿蔔自然汁半盞相合令匀再用湯溫過服之立驗步老方○又方取土馬騌墻上有者是甘草各一分黄藥子半兩右為末每服二錢新汲水調下如未止再服立止方衛生寶鑑

治鼻衄及膈上盛熱乾地黄龍腦薄荷等分為末冷水調服孫兆方

治酒齇風鼻上赤将橘核微炒爲末每服一錢匕研胡桃肉一枚同以温酒調服

治酒齄鼻用白塩擦爲妙備急方○又方用山梔仁爲末煉蜜丸彈子大空心嚼一丸白湯下

治鼻病酒齄用馬藺子擣爛傅之佳醫林集要

治鼻面酒皶皰取鷺鷥屎一合研以臘月猪脂和每夜傅之

治鼻中生瘡用杏仁研如膏以乳調塗○又方用玄參水漬軟鼻中或為末塗之

治鼻尖赤及鼻中生瘡用辛夷碾末入腦麝少許綿褁納之○又方以白塩常擦妙○又方以馬牛耳垢傅之○又方用黃栢苦參檳榔等分為末以猪

脂調傅尤妙○又方用槐花青黛杏仁研傅之○

又方用杏仁研爛以乳調傅之丹溪心法

治久患鼻瘡膿血極臭者用百草霜不拘多少研極細末每一錢食後以冷水調服

治赤鼻久不瘥用大黄朴硝各等分爲細末水調敷患處

治赤鼻用枇杷葉去毛一兩梔子仁五錢爲末每服二三錢溫酒調下早服去右邊晚服去左邊扶壽精方

治鼻赤如瘤用硫黄輕粉細辛乳香等分爲末井花水調搽

治鼻中瘜肉用枯白礬末面脂和綿裹塞鼻中數日肉隨藥落○又方用苦瓜蒂為末傅之 奇效单方

治鼻痛常以油塗鼻內外酥亦妙 千金方

治人鼻中毛出晝夜長一二尺漸漸粗圓如繩痛不可忍摘去更生此因食猪羊血過多而然也用硇砂乳香爲末飯丸水下十粒早晚各一服病去乃止 養生書

治人鼻口中氣出盤旋不散凝似黒盖過十日漸漸至有與肉相連堅勝鐵石無由飲食多因瘧後得之用澤蘭水煎日飲三盞五日愈

治人鼻腥臭水流以碗盛而視之有鐵色蝦魚如米大走躍捉之即化為水此肉壞矣食雞肉一日二次食一月而愈 以上怪症奇二方

治鼻流清涕不止搗蓽撥末吹入鼻內即止

治大小人腦疽用枳殼半箇去瓤以生姜汁調飛羅麪成膏填殼內盖瘡上扎住待瘡愈取之

治卒食物從鼻中縮入腦中介介痛不出用牛脂羊脂如指頂大入鼻中以鼻吸取脂須臾脂消則物逐脂俱出也

治鼻齆用乾姜末蜜和塞鼻中

治鼻氣窒塞以水五升煮槐葉取二升入葱豆豉調和再煎服

治膽受熱血妄行鼻中衂衊并血汗不止用硃砂水銀等分麝香少許為末每服半錢新汲水調下

眼目門

治眼有冷淚用木賊一兩爲末木耳一兩燒灰二味同研令勻每服二錢以清米泔煎熟待溫調下食後臨卧各一服安老懷幼方

治冷淚眼昏用乾薑肥者爲末每用一字沸湯點洗或用貝母膩白者一枚胡椒七粒爲末點之

治麥芒入目煑大麥汁洗之孫真人方

治眼迎風冷淚不止取烏雞膽汁仰卧點眼中效奇效良方

治風淚眼取槐白皮剉以水煎湯澄清用好肥黃連

入內浸洗之功效 本草集要

治風眼及偏正頭疼夾腦風鼻出清涕目淚疼痛用石膏二兩炭火煅研細川芎一兩甘草半兩炙爲末每服一錢葱白好茶煎湯調下食後二服

治風毒上攻眼腫痒澁痛不可忍者或上下眼皆赤爛浮翳瘀肉侵睛神效名驅風散用五倍子一兩蔓荊子一兩半同作一處每服二錢水二鍾以銅石器內煎及一鍾澄清淋洗效 斗門方

治風爛眼用銅菉一錢塊者以生姜一大塊切作兩片剜孔入銅菉在內仍前合定用線扎住外用濕

紙包三四重灰火煨待一二時取出去姜出火毒研細先以淡塩湯洗患處後量末薄傅漸瘥

治肝虛當風眼淚等症取肥枸杞子三升擣破入絹袋置罐中用酒一斗浸訖蜜封勿泄氣過三七日每一日任性飲之勿醉 千金方

治眼三十年失明蒺藜子七月七日收陰乾擣散食後水服方寸匕 出外臺秘要

治眼前見禽虫飛去捉之即無乃肝膽經為疾用酸棗仁玄明粉青葙子等分為末每服二錢煎羌活湯調服日三服 怪症奇方

食治老人肝臟風虛眼暗取烏雞肝一具細切以豆豉和米作羹粥食之佳 證類本草

食治老人肝臟虛弱遠視無力補肝羹方用猪肝一具切細去筋膜葱白一握去鬚雞子二枚右以豆豉汁中煮作羹臨熟打破雞子投在內食之○又方取羊肝一具細切水煮熟漉乾又以塩醬醋和食之立效○又方用葱子半斤炒熟為末每服一匙以水三盞煎取一盞去滓入米煮粥食之

食治老人膈上風熱頭目赤腫痛目視䀮䀮以竹葉五十片石膏三兩以水三盞煎石膏竹葉至二盞

半去滓澄清入粳米三合煮粥候熟入砂糖食之

食治老人益耳目聰明補中強志取蓮實去皮半兩細切以水煮令熟入糯米三合作粥熟食之〇又方用芡實仁三合入粳米一合煮粥食之

食治老人熱發眼赤澁痛取梔子仁一兩為末分作四服每服米三合煮粥臨熟入梔子末一分令匀食之

食治老人目暗不明取蒼耳炒去刺半兩搗爛以水一升絞汁和粳米二合煮粥食之亦佳

食治老人補中明目利小便用蔓菁子三合搗碎入

水二盞絞汁粳米三合煑粥食之

食治老人青白翳明目除邪利大腸去寒熱取馬齒莧陰乾為末每服一匙煑葱豆豉和攪食之或作羹粥食明目極佳

治目昏翳膜取川椒一斤微炒擣取紅末四兩甘菊花四兩生地黄一斤擣如泥同作餅子透風處陰乾再為末煉蜜丸桐子大每服三十丸食後茶清服下○又方用芒硝一兩置銅器中急火上煉之放冷以生絹細羅點眼角中每夜欲卧時一度妙

孫真人食忌○又方取楮白皮分如指條火燒作

灰待冷細研如麪每點翳上日三五度漸消

治眼生翳用細辛蜂房煑均含之立效 奇效單方

治目翳及努肉用白礬石一黍米粒大傅於翳上及努肉上即令淚出綿拭之令惡汁盡其疾日日減翳自消便瘥 出水草方

治眼睛無故努出一二分用涼水注竹筒內灌漬之數易自然納入平復如故 衛生易簡方

治卒患赤目努肉痛痒用好梨一枚擣絞汁黃連三枝細剉綿裹漬令色变仰臥注點目中

治眼積瘀血生努肉如乳長出用杏仁十四枚去皮

尖入口生嚼如細泥吐在手掌内乘温綿纏筋頭點藥泥於弩肉上不過二四易立瘥即消怪症奇方

治雀目用鯉魚胆或腦傅之燥痛即明

治雀目如神黄蠟不拘多少器内溶化取出入蛤粉相合得所成大圓每用以刀切取二錢以猪肝或羊肝一葉劈開摻藥在内以麻絲綑定水一碗同入砂鍋内煮熟取出乘熱薰眼待冷幷肝食之一二以平安為度

治小兒雀目用蒼术二兩擣羅為散每服一錢不計時候以好羊子肝一箇用竹刀劈破摻藥在内以

麻繩纏定入粟米泔煮熟爲度

治眼目落不見物者名雀目用黄蠟一兩溶化入定粉末一两令勻冷定每用一錢以羊肝片切破摻藥在内麻絲纏合米泔内入茅根同煎熟食之

治雀盲用地膚子五兩決明子一斤右爲末以米飲汁和丸食後服二十丸至三十丸日二服盡即便合瘥止○又方每朝含黄栢一瓜甲許使津置掌中拭目訖以水洗之至百日眼明此方乃終身行之永除眼疾神良

治青盲眼用珎珠豆腐中飛過四分白蜜二合鯉魚

胆一枚同煎三二沸以綿裹少少點之須半月見效

治赤眼用甘草水磨明礬傅塗眼胞上效○又方用黃連剉以驢妳淹浸良久點之出良方

治目熱生膚赤白眼擣枸杞汁每日洗五七度點之亦效兵部手集

治赤眼痛澁用香水梨一枚去皮削成小片又白礬極細末一字同於碗內研爛以生絹絞取汁於小碗盞內紙蓋徐徐點之妙奇效方

治赤眼疼痛用薺菜根擣汁點眼中○又方用冬青

葉洗淨入塩少許濃煎乘熱洗之○又方以自己小便時時洗之良○又方或仰卧以豆腐片貼眼上睡亦佳 醫林集要

治眼赤腫痛艾灰黄連半兩拌匀煎湯一盞入龍腦少許溫洗○又方用梔子仁二枚明礬豆大一塊以生絹包定滚湯半小盞浸一時辰點之○又方用防風五倍子等分煎湯頻頻洗○又方用青塩火煆以碗合地上出火氣研細每用半錢熱湯一盞泡溫洗爛眼及拳毛倒睫效 證類本草

治兩眼腫如桃大用猪鬃四枝各捶入攢竹精明四

穴撚之待睡一覺醒去之妙 戴溪藥方

治眼胞腫痛擣生姜自然汁調飛白礬末傅塗眼胞上即效 備急方

明目採取桑椹乾為末和蜜食之亦安魂鎮神○又方採霜後不落桑葉煎湯洗目亦可服 斗門方

明目黑髮十月上巳日取槐實納於牛膽中浸百日每食後吞一粒照日服之久服身輕髮黑固齒 聖惠方

治目昏用荊芥穗地骨皮楮實等分為末煉蜜丸桐子大每服二十丸食後米飲下 梅師方

治目卒痒目痛黃連咀乳浸點目中止亦治眼淚出不止濃汁漬綿乾拭目 外臺秘要

退火眼清凉膏用薄荷葉黃連碾為末用雞清調塗上眼皮水調亦可 聖惠方 ○又方用艾燒令煙起以碗蓋之候煙上碗成煤取下用溫水調化洗火眼即瘥更入黃連汁亦妙 備急方

治眼暴赤作痛用黃栢不以多少削去粗皮剉碎以濕紙裹黃栢泥包煨候泥乾取出每用一彈子大紗帛包水一盞浸飯上蒸熟乘熱熏洗妙

治暴眼天行腫痒痛取地骨皮三斤水三斗煮取三

升絞去滓更入食塩一兩煎二升傳目或加乾姜
一兩　外臺秘要
治內外瘴眼蒼术四兩入米泔浸七日逐日換水後
割去黑皮細切入青塩一兩同炒黃色去塩不用
木賊二兩以童便浸一宿水淘焙乾爲末每日不
計時候但飲食菜蔬內調下一錢甚效　養老書
治久患內瘴眼車前子乾地黃麥門冬等分爲末蜜
丸桐子大每服七八十丸食後沸湯下屢試有效
千金方
治目痛及眯傷有熱瞑者用地膚子取自然汁注目

中衛生易簡方

治塵沙眯入眼不能出取活蜣蜋一枚手持其背於眼上影之塵沙自出本草集要

治眯入眼者以少塩并豆豉置水視之立出

治眼内白背俱黑見物依舊毛髮直如鐵條不語如醉名血潰用五靈脂末酒調服二錢愈

治眼有黑花能補益明目用川椒一斤以塩一斤拌淹一宿三度換塩淹三夜取出去塩同玄參半斤剉為末煉蜜丸桐子大每服塩湯下三十丸食後臨卧服

眼珠垂下至鼻大便血出名肝脹用羌活一兩水煎數服愈怪症奇方

治眼中生珠管牛膝并葉搗絞取汁日三四度點之怪症奇方

治年久眼用銅綠寒水石等分爲細末以五七沸滚水浸在藥內攪勻澄清將水上藥膜掠去以清藥水於大眼角點之立效勿令塵入藥內惠菴集

洗眼方十月上巳日採桑葉穿掛通風處乾之收起日日煎湯洗妙古愚自效方

治目疾但瞳子不壞者十療九愈用蔓菁子六升蒸

氣透以甑下熱湯淋曝乾還淋如是三遍爲末食上清酒服二寸匕日再服 證類本草

治血灌瞳人生障膜取生地黄汁温服一小盞徐徐頻服以瘥爲度 千金方

治物落眼中不出用好墨研汁以筯點入物即出之 千金方

治一切疳眼赤爛目生翳膜内外皆障並小兒吐痢疳瀉用白藥子一兩甘草半兩爲末用猪肝一葉劈開滲藥五錢水一碗煮熟食之

治雀目星月下用掃箒從自己家中掃至塲中從容

掃淨復掃至冢中立于門後二七日大效

涇陽醫士王玉刊方

耳門

治耳聾用磁石如豆一塊川山甲拌土炒熟爲末以新綿褁塞耳中口噙生鐵步須覺耳内如風雨聲即愈○又方用萆麻仁五十箇與熟棗一枚同搗為泥入小兒乳汁就和丸如小棗大毎用一丸綿褁入耳中覺熱為度一日一易如欒雞丸日中縣少時○又方用蒼木一塊長七分将一頭截平一頭削尖将尖頭揷耳内於平頭上安如小黍艾炷灸之輕者七壯重者十四壯○又方用細辛為末溶黄蠟和丸如鼠糞大綿褁塞耳中○又方取鼠

膽汁滴耳中效○又方取地龍一條置葱葉中入塩少許化為水滴耳中○又方用驢油滴入耳中或蛇油蝟油皆好○又方用酒三升碎牡荊子二升浸七日去滓任性服盡雖三十年久聾亦瘥○又方用雄黃硫黃等分為末綿裹入耳中數日聞人語聲千金方○又方取水蘇葉生擣綿裹塞耳中良○又方擣白芥子為末以人乳丸如棗核大綿裹塞耳中奇效單方○又方取龜溺滴耳中即瘥取溺法將一龜置盆中以鏡照之自見其影尿自出收用○又方取猫溺滴入耳中即效取溺法

用乾姜末搽於猫牙上其涎自出收用〇又方用芥子搗碎用人乳調和綿裹塞耳瘥 外臺秘要〇又方醋炙附子為條塊削尖頭塞耳内 千金方〇又方用骨碎補削作條火炮乘熱塞耳中 衛生易簡方

〇又方用杏核燒微煙出搥破取仁綿裹塞耳内

〇又方取槐膠煨熟手揑尖頭塞耳中 百一方

治久耳聾用松脂三兩煉巴豆相和熟搗可丸通以薄綿裹入耳孔中塞之日一度易 梅師方

治耳聾因腎虚所致十年内一服愈全蝎小者四十枚生姜如蝎大四十片二件銅器内炒至姜乾為

度研末都作一服初夜溫酒送下至二更盡量飲酒至醉不妨次日耳中如笙簧聲效外臺秘要

治兩耳虛聾用白茯苓去皮二兩山藥炒三兩杏仁炒去皮尖一兩五錢黃蠟一兩將三味為末研勻鎔蠟丸如彈子大盐湯嚼下奇效良方

食治老人耳聾不瘥取鯉魚腦髓二兩粳米三合右以五味煮粥空心食之

治老人久患耳聾養腎臟強骨氣用磁石一斤搥碎以水淘去赤水用綿裹用水五升煮磁石煎至二升去磁石投猪腎一對去筋膜細切更入調和葱

豆豉姜椒作羹空心食之

食治老人腎氣虚損耳聾用鹿腎一對去脂膜切右以豆豉汁五味和粳米二合煮粥食之○又方用豬腎一對去膜細切葱白三莖人參一分防風一分粳米二合韭白數莖以五味煮粥食之安老懐幼方

治耳卒聾用巴豆一粒蠟裹以針刺令通透塞耳中○又方用甘遂如棗核樣綿裹塞耳中却以甘草於口中徐嚼效○又方用香附子為末以砂鍋煎蘿蔔湯食後臨卧服末二錢乾蘿蔔亦得忌鐵器

治耳卒疼痛以塩炒熨之效肘後方

治耳卒腫出膿水用礬石飛過研末以筆管吹入耳内三四度或以綿裹塞耳中瘥 千金方

治耳内出膿水用羌活白附子等分為末用豬羊腎各一枚切開每枚入藥末半錢以濕紙裹煨熟五更初時細嚼溫酒下續食粥壓之

治耳内有膿名通耳用豬藍子為末吹耳内不過二三次愈

治停耳出膿及黄水用枯白礬五分乾胭脂一字或加麝香少許研勻以綿杖子纏撚去膿水即用別杖子送藥末入耳中摻之即乾 奇效良方

治停耳俗名耳底膿出不止以五倍子燒灰為末吹入耳中一方加枯白礬亦效 救民易方○又方用五倍子焙乾一兩全蝎燒灰存性三錢為末摻耳中○又方用蚯蚓乾為末吹入耳中○又方用青橘皮燒灰研細末綿裹塞耳中

治停耳及聾取鵚尾翟填入耳亦用膏灌之

治耳中出血用龍骨研末吹入即止○又方耳中出膿水用枯礬一錢黄丹三分研末先以綿纏絞膿乾以末吹入妙

治耳中注出或痛有膿水炒杏仁令赤黑為膏丸綿

褁入耳中三度易之或髮褁塞之亦妙

治五般耳出血水者用人齒火煆存性出火毒麝香少許研細末每用少許吹耳內即乾

治膿耳用香附子去毛爲末以綿杖入耳內　奇效良方

治耳閒疼痛出血流膿久不乾者取鳩糞夜明砂研末吹耳中瘥　備急後方

治耳痛用菖蒲為末炒乘熱綿褁塞耳中○又方用鱔魚血數點滴入耳內便愈○又方用白塩炒熱重綿包熨　備急方

治耳聾疼痛用百合口乾為末每服二錢食後溫水

調下惠菴集

治耳後生軟癤愈而復發用松香八分銅青二分天麻子同搗爲膏紙攤貼之效惠菴集

治耳後根生瘡如割用地骨皮碾細羅將粗末煎湯净洗拭乾如瘡出水以細末乾傳瘡乾油調傳之扶壽精方

治耳瘡取土馬騣井中苔研爲末以燈底油調塗之

治耳内外惡瘡及頭瘡口邊肥瘡瘑瘡黄柏半兩馬齒莧乾一兩爲末如耳内瘡綿裹豆許塞耳内如耳外生瘡以末傳之千金方

治耳內有丁如棗核大痛不可動用火酒滴入耳內令仰上半時以箝取出絕根

治耳鳴如流水聲不治久則成聾擂生烏頭乘濕削如棗核大塞耳中日一易不過三日愈亦療痒及卒風聾病　證類本草

治耳鳴無晝夜以烏頭燒作灰菖蒲等分為末綿裹塞耳中再用效　楊氏產乳

治耳中常鳴用生地黃截斷塞耳中數易之以瘥為度一云以紙裹灰火中煨之用良　惠菴集

治耳聾鼻塞用乾柿三枚細切粳米三合豆豉少許

煑粥空心食之 聖惠方

治耳聾中風牙關緊急不得開取八角附子一枚醋漬之三宿令潤微削一頭納耳中上灸十四壯令氣通耳中即瘥早晚易之不三日愈 千金方

治耳熱出汗用滑石軟石膏防風天花粉各一錢同研為末腦子少許摻耳中效

治耳底用桑螵蛸一箇慢火炙八分熟存性入麝香一字為末每用半字摻耳內如有膿水先以綿裹筋頂或荆芥莖將膿撚去後摻藥末極效

治百蟲入耳用香油灌入耳中即出○又方剌雞冠

血滴耳中亦出○又方搗韭汁注耳中即出千金方
治蟲入耳或腦痛取桃葉熟挼塞耳中○又方用生
姜汁或葱汁注耳中○又方用椒末一錢醋半盞
浸良久少少灌之蟲自出衛生易簡方○又方如
蟲在左耳以手緊閉右耳努氣至左耳其蟲自出惟症奇方
治飛蛾入耳用醤汁灌耳中○又方擊銅器於耳傍
治蟻入耳中燒川山甲為末水調灌之
治水入耳中以薄荷搗汁點入效
治蚰蜒入耳用龍腦少許吹入耳其虫化為水出（）

又方用羊乳酪灌之自出○又方用猫尿灌耳中虫自出○又方擣蒼耳草取汁注耳中少許佳○又方用驢牛乳灌入耳中即出○又方擣絞取韭汁滴耳中即出

治耳凍瘡及諸處凍幷折破瘡用臘月新死鼠一枚油一升煎之令爛絞去滓再煎膏塗之

治耳凍瘡幷諸凍成瘡收茄根幷枯莖葉煎湯漬之○又方用熱醋湯洗研藕貼之○又方用五倍子煎湯洗○又方用黑棗煮三五沸去棗洗之妙○又方用五倍子為末和牛髓塗傅自愈備急方○

又方用乾姜燒灰為末傅之○又方用雀腦髓塗凍破處○又方用川花椒煎湯漬洗一時拭乾以羊腦髓塗末妙探師方○又方搗黄栢末乳汁調塗○又方搗五倍子末猪脂調膏傅之效

髭須鬢門

烏髭須鬢法取蒼术不計多少以米泔水浸二三日逐日换水取出刮去黑皮切作片子曝乾以炭火炒令黄色搗爲細末每一斤用蒸過茯苓半斤為末煉蜜丸桐子大空心卧時溫熱水下十五丸别用术末六兩甘草末一兩拌匀作湯點之下术丸忌食桃李雀蛤○又方取自己亂髪洗浄乾每一兩入椒五十粒泥封固濟入爐大火煆如黑糟細研酒服一錢匕老唐方○又方以小雌雞一對别處各養喂不得令食蟲并雜物只取烏麻一件並與水喫使

雞長大放卵特專覷取出先放者卵收取別處待放卵絶却先收先放者卵細研好硃砂一兩擊破卵巔夢小作竅入砂於卵內安置用紙貼損處數層候乾同後放者卵一齊令雞抱候雞子出爲度其中取出晒乾打破研細如粉用蒸餅丸如菉豆大不計時候酒下五七十丸不唯變白亦且愈病張路公方○又方用金陵草一秤六月以後收採揀擇無泥土者不須洗須青嫩者不雜黃葉乃堪搗爛以新布絞取汁又以紗絹濾令滓盡內通油器鉢之日中煎五日又取生姜一斤搗爛絞汁白

蜜一斤合和日中煎以以柳木篦攪勿停手令調勻又置日中煎之令如稀餳湯藥成矣每旦日及午後各服一匙以溫酒一盞化下如欲作丸日中再煎令可丸如桐子大依前法酒服三十丸及時多合製為佳其效甚速千金月令○又方用羊屎入鯽魚腹瓦缶固濟燒灰塗此髮黑而易生甚效○又方三月三日採南燭葉並莖子入大净瓶中乾盛以童便浸滿瓶固濟其口置空閑處經一周年取開每日一二次溫酒服之每酒一盞調煎一匙極有效驗不唯烏髭鬢亦且補煖令容顏少貌○又方用

胡桃和胡粉為泥挼去白鬚髭以納塗孔中其鬚皆黑

三青膏烏鬚髮採取生胡桃皮石榴皮生柿子皮右先將石榴剜去內瓤丁香好者紫滿通秤分兩然後却胡桃皮柿子皮與所用石榴丁香停分晒乾同為細末取生牛乳和勻盛於錫盆內或磁器中容封之埋於馬糞內一十日取出將白線一條扯緊點麥膏子於線中待藥力行至兩頭皆黑徹者是藥成也如不黑再埋馬糞中數日取用則效

烏鬚須丸採旱蓮草即墨草處處有之取一担去砂土

根於石臼中搗爛絞汁去滓入老生姜汁白蜜各一斤半拌攪勻入鍋內熬如飴糖為丸每空心酒下七十丸午上夜間每服七十丸 普濟良方

治髭須髮白納槐實於牛膽中浸陰乾百日每食後吞一粒久則髭須白變黑 本草易方

治髮白用烏麻九蒸九晒以棗膏丸服之

治髮黃用熊脂塗髮梳之散髮入床底伏地一食頃變黑不過一升脂驗 俱千金方

治髭鬢須黃赤一染即黑用生姜半斤生地黃一斤各淨洗搗絞取自然汁留滓以不蛀皂角十莖去黑

皮筋於前藥汁內醮炙黃色再醮炙盡為度却將滓同入罐內用火煅存性為末以鐵器中盛藥三錢湯調停三日臨臥將髭須鬢髮即黑

治髭鬢落不生採楸葉擣汁每日塗之○又方羊屎調塗自出

口齒門

治口氣臭用白[illegible]麝香為末搽牙齒上○又方用香薷一把水五升煎二升稍稍含之○又方用甜瓜子為末蜜丸如棗核大每日一洗漱畢含一丸亦以揩齒○又方用丁香三錢甘草炙一錢川芎二錢白芷半錢為末蜜丸如彈子大綿裹噙一丸徐化下

治口臭及䘌齒腫痛細辛煎取濃汁熱含冷吐瘥聖惠方

治滿口白爛用蓽撥一兩厚黃栢一兩炙為末醋煎

數沸調入藥漱之涎出後以白湯漱之

治口瘡用牛膝酒清含漱立愈○又方用五倍子末摻之便可飲食○又方取菜葉搗絞汁先以亂髮拭口次以汁傳之千金方○又方取冬青嫩葉嚼爛嚥之良久嚥津下渣吐出○又方用乾姜黃連二味於口中細嚼流涎出

治口瘡并風痒收蚕蛾研末傳之○又方用硇砂火煆為末摻瘡上效○又方用蓮花片貼之良備急方○又方用蛇脫燒灰拭淨傳之○又方以蜂房亂髮燒灰猪脂調傳○又方用頭垢塗傳立效

治口瘡久不合用亂髮露蜂房蛇腕各燒灰存性為末每一錢酒調服

治大人久患口瘡生附子為末醋麪調男左女右貼脚心日再易經驗後方

治口内生瘡用吴茱萸為末醋調塗兩足心效最宜小兒口瘡不肯服傳藥者一貼而愈○又方用孩兒茶硼砂等分為末傳口内瘡二扶壽精方

治口内生肉毬有根線長四五寸餘吐毬出方可飲食以手輕捏痛徹於心以水調生麝香一錢頻頻服之三日根化而愈怪症奇方

治口傍惡瘡燒亂髮灰舊絮灰黃連末等分合和為散以傅瘡不過三遍即愈

治口吻瘡取蟯蜋三枚燒灰研細傅之　奇效良方

治口吻生白瘡用檳榔一枚燒灰細研傅之妙　聖惠方

治口舌生瘡用硼砂甚者加片腦黃蘗薄荷葉各等分為末生蜜丸如彈子大每一丸噙化○又方用銅綠細研點傅患上即瘥○又方用杏仁去皮尖研膏入膩粉少許傅之

治口中及舌生瘡爛以黃柏含之立瘥○又方用白礬末傅之　外臺秘要

治脣緊瘡疼痛用訶子肉五倍子枯礬右為末傳上醫經大旨方

治脣上生瘡連年不瘥取藍葉搗絞汁洗之不過三日而愈千金方

治口脣緊小不得開合不能飲食不治即死用白布作燈炷如指大安斧刃上燃燒令刃上汗出拭取傳脣上二三度為用舊青布燒灰以酒調服或和豬脂調傳

治脣黑腫痛癢不能忍用大錢四文於石上同臘月豬脂磨取汁塗之瘥

治遠行唇口面皴裂熟煎猪脂將行夜常取傅面行役萬里野宿不損

治唇吻燥痛用橄欖核仁研傅立瘥

凡舌腫舌下必有蟲狀如螻蛄卧蚕有頭有尾小白可燒鐵釘烙頭上即消備急方 一方蜜調傅○又方取亂髮燒灰水調服方寸匕

治舌強腫起如猪胞以針刺舌下兩邊大脉血出即消切勿刺中央脉穴令人血不止則以火燒銅筯烙之不止則殺人

治舌卒腫如猪胞狀滿不治須臾立死以釜墨[illegible]

塗舌上下立瘥千金方

治重舌用生泥鐵鎖燒紅打下鏽為末水調一錢噙服○又方用生白礬黄丹飛過五倍子等分為末蜜調塗舌上少刻以水漱之再塗以瘥為度○又方用蒲黄少許搽舌上即消本草集要

治舌喉閉用朴硝白礬為末摻入口中證類本草

治舌上出血不止用黄藥子十分青黛一分研末每服一錢食後新汲水調服○又方用槐花乾研末傅舌上即止千金方

治心經煩熱血妄行舌上血出不止用蒲黄牛黄龍

腦研末食後以藕汁調服 奇效方

治舌上忽出血如簪孔者用香薷一握濃煎汁服亦治心煩去熱 千金翼

治舌強不得語用礬石桂心二味等分為末安舌上立瘥 千金方

治腫舌強滿口用糖口內含酢少許時熱通即消

治舌邊或舌根生瘡赤痛腫用五倍子炒黄連同為細末敷瘡上三五次立消痛止 斗門方

治舌忽脹出口用雄雞冠上刺血盛器內浸舌就嚥下即縮 經驗方

治心脾熱舌頰生瘡用黄栢蜜塗炙青黛等分為末入龍腦一字研匀摻瘡上有涎即吐出 千金方

治心脾壅熱生木舌腫脹用玄參大黄升麻犀角各七錢半甘草半兩為末每服三錢水一盞煎五分温服小兒減服 和劑方

治重舌喉痺用五靈脂去砂土研末以醋煮逐旋嚥漱口即安

治牙痛用胡椒九粒菉豆十二粒以布裹擊碎以綿包一粒於痛齒上下咬定良久吐出涎沫立愈有蛀孔者以硇砂塗置孔妙〇又方用膽礬三錢片

腦四分研末以猪膽調搽患處○又方用蘆薈一錢黄栢五錢覆石五分用好肉棗五枚破開留核各入覆石一分火燒存性右研為末和前二味末和匀每欲牙痛先以米泔水漱口後以此藥搽之立止

治牙痛四證不可一例用藥熱者怕冷水用牙硝姜黄雄黄荊芥冷者怕熱湯用細辛蓽撥乾姜不怕冷熱乃風牙用草烏殭蚕牙皂蜂房有孔者乃蛀牙用雄黄石灰砂糖右用藥時皆以溫水漱口

治牙痛塞藜蘆末於牙孔中勿嚥汁涎效甚方千金翼

治牙根痛用杏仁一百枚去皮尖以塩少許水一升
煑令沫出含之未盡吐却再含三度瘥
治牙疼用巴豆一粒煨至黄熟去殼用蒜一瓣切一
頭作盖剜去中心可安巴豆在内以盖合之以綿
裹隨患處左右塞耳中須臾取去痛止○又方用
猪牙皂角食塩等分燒為末搽疼處良千金方○
又方多將蒼耳子濃煎汁含漱○又方用胡荽子
五合水五合煎一合含之愈○又方以蘿蔔子二
七粒去赤皮細研以人乳和左邉牙疼點於右鼻
中如右邉牙疼點於左鼻中立效○又方用青塩

二兩白塩四兩川椒四兩煎汁拌二塩炒乾為末揩之亦無齒疾以漱出水洗目亦不目疾○又方用麝香半錢三柰子二錢以甆褁煨熟右為細末每用三字口噙温水隨疼一邊鼻内嗃之漱動水吐之效

灸一切牙痛腮腫牙關緊急苦楚不禁者取手掌後盡處外側覆之皆有一圓骨起見外雖如一中實兩骨相續續處取穴米大艾壮灸三五壮其痛當愈如不應承漿穴灸三壮○又秘方於空心時扣齒三百下永無齒患出顔氏家訓殊驗不可以其

易而忽之
治陽明熱而牙疼用大黃香附各燒灰存性爲末入青塩少許不時揩牙上○又方用蓽撥胡椒各等分爲末溶蠟丸如麻子大每用一丸塞蛀孔中○又方以獨蒜火煨極熟刀切斷乘熱熨其疼處冷即再易熨之亦治蟲牙妙○又方用防風鶴虱各三錢作一服水二盞煎一盞不拘時噙漱 奇效方
○又方取乾蚯蚓搗末著痛處即止 千金方 ○又方牛膝末着齒間含之○又方用山豆根含一片於痛處○又方煮枸杞汁含之○又方用枯白礬

露蜂房微炙等分水煎數沸漱冷即吐換衛生易簡方

治齒痛久不瘥用臭橘鍼不拘多少剉如麻豆每用一合水一盞煎五七沸熱漱疼處立效

治牙惡熱飲痛用黃連末搽之效怪症奇方

治牙疼或蟲痛用雄黃乾姜各一錢為末每用一字口噙水左邊疼吹右鼻右邊疼吹左鼻○又方採貓兒眼草一捻爛搗湯泡去滓含漱良久吐之不可嚥衛生易簡方

治風牙疼腫不拘新久用全蝎一枚尾上焙乾高良姜一塊約二寸右為末以手指蘸藥搽患處令熱

須臾吐出少涎以塩湯漱口大妙奇效良方

治風牙上攻腫痛羌活地黄各三兩末每服三錢水一盞煎和滓温服卧時再用

治風齒疼頰腫用獨活酒煮熱含之或剉碎以水煎熱含冷即吐之亦治齒風宣露

治骨槽風牙疼腫腮桔梗為末棗肉為丸如皂角子大綿裹咬腫則消荆芥湯漱之

治風牙痛用白芷末硃砂少許煉蜜丸櫻桃大每一丸擦牙上醫林集要○又方取百年石灰搗為細末四兩蜂蜜三兩和匀用塩泥固濟火煅一日取

出爲末唾拈末搽牙立有神效　張真人萬應方

治風蟲牙痛用生地黄一節蒜一瓣二味熟搗綿褁著疼上咬之勿嚥汁出吐之日日爲之瘥止○又方用升麻剉炒黑二兩石膏五分細辛炒三分研末不時搽牙漱吐之　扶壽精方

治風牙虫牙用川椒炒出汗露蜂房炙燒各等分爲末每用二錢水煎數沸熱漱即止

治齲齒用松脂捏如錐注孔内須臾蟲緣脂出

治齲齒及蟲痛切白馬懸蹄如米許以綿褁著痛處孔不過三度善

治牙齲痛有蟲取雄雀屎綿裹塞孔內易一二次效

治蟲牙痛用礦石灰研細沙糖和丸塞蛀孔○又方用大戟火煨熟以患牙咬冷則易之妙奇效方

治蛀牙痛取古塔上石灰搗末蜜調作丸以火煆過入雄黃川椒各少許同為末蜜潤塞孔中即止濟生便宜方

治蟲蝕牙痛以蘆薈研末先以塩揩齒令净然後傳少末於上良久即止本草集要

治蟲蛀牙痛用巴豆仁一粒研泥入花椒末和丸安牙孔上即止怪症奇方○又方用蘆薈或白膠香

塞蛀孔中○又方用天仙子不以多少燒煙用竹筒抵牙引煙薫之其蟲即死痛止

治蟲齒取桃仁以簪或針穿向燈上燒之煙出經少時吹滅即入口安蟲齒上咬之不過三五度一方作胡桃仁

治齒蟲腐爛取棘刺二百枝以水二升煎取一升含之日四五度瘥

治蟲齒採白楊葉切一升水三升煑取一升含之良

治牙齦歷蟲齒根暗黑用松節燒灰搽之甚效

治齒齦宣露每旦捻塩入口中以熱水含徧齒百遍

不過五日齒即牢密 出千金方

治齒床瘡痛出血用五倍子黃連等分為細末以指拈末敷搽齒床痛腫處日搽三二遍腫消痛止亦治口瘡效 經驗方

治牙齒出血疼痛用鬱金白芷細辛各等分右為細末搽牙齦疼痛處噙少時有涎吐出○又方取蝦蟆燒灰傳之即止 奇效單方

治滿齒口有血取枸杞和根苗煎湯食後服之亦治骨槽風 孫真人秘急方

治齒齦間津液血出不止用細辛二兩甘草一兩㕮

咀以醋二升煑取一升日夜旋含之

治虛氣攻牙齒疼痛血出牙齦痒痛用骨碎補二兩剉炒令黑為末依常盥漱後揩齒上良久吐之臨卧用嚥之無妨

治牙齒根欲動脫生地黃細剉綿裹著齒上咂之漬齒根日三四並嚥之十日大佳

治牙根腫取松葉一握切塩一合右酒三升煑取一升含之

治牙齦腫爛出臭水用芥菜杆燒灰存性為末敷之即瘥 攝生衆妙方

固牙齒用殺牛齒三十枚固濟缾中煅令通赤研為細末水一盞末二錢煎令熱含浸牙齒冷即吐却水堅牢或有損者以末揩之甚效○又方取羊脛骨燒存性二錢當歸白芷牙皂青塩各一錢為末揩牙上 丹溪心法

刷牙藥燒白羊骨一兩升麻一兩黃連半錢為末揩用

治齒中出血煎淡竹葉湯頻頻漱之○又方以瀝青研細揩齒堅牢

治牙瘡牙癰用蚕退紙燒灰存性揩牙根上

治牙疳燒笋乾為末入塩搽傅效　備急方

治走馬牙疳蝕損唇舌肉腐牙落臭爛其效如神用銅綠砒霜各等分細研每用些少傅患處○又方用乾姜南棗各燒存性枯白礬各等分為末傅之立瘥　醫經大旨

治口疳取雞內金不拘椎雌取出不落水以紙拭淨新瓦上焙乾脆置青石上拔去火毒為末先以米泔水漱次以末傅之

治牙齒動搖疼痛用蒺藜煎濃湯每日青旦漱之

治風牙并虫牙疼痛巴豆一箇胡椒三箇石膏一分

右爲末每用少許擦于患牙上須臾吐涎立止以上

俱涇陽醫

士王珂方

咽喉門

治喉痺用皂角白礬入好米醋或常用釅醋亦通二物同研嚥之立瘥若喉痺偏一傍痛即側卧就痛處含之勿嚥立瘥 傳信方 ○又方用朴硝一兩細細含嚥汁頃刻立瘥又主口瘡含朴硝亦效 外臺秘要 ○又方用半夏末方寸匕雞子二枚頭開竅子去内黄白盛淳苦酒令小滿内半夏末着中攪和雞子内以鐶子坐之於炭上煎藥成置柸中稍煖嚥之 古今録驗 ○又方將杏仁炒熟杵丸桐子大含嚥其汁為末綿裹含之亦得○又方用馬牙硝含

之嚥津衛生易簡方○又方用朴硝研末以蘆管吹入喉中立效○又方用白礬研末以竹管內末吹入喉中立效口含嚥津汁亦效○又方用滑石為末以生蜜和丸彈子大噙一丸嚥津立瘥○又方研白礬末一錢黃栢末五分以水一鍾調漱救民易方○又方用焰硝朴硝裝青魚膽內陰乾用時取出為末吹入喉中即消丹溪脉証方○又方取筍殼皮削尖以一頭刺兩鼻中血流出閉腫即消○又方取蠐螬汁點在喉中即開張仲景方○又方用牛蒡子六分馬蘭子八分搗為末每服空心煖

水調服一匙漸加至二匙未瘥再服○又方取荊瀝稍稍嚥之效○又方燒穀奴灰酒調服立破○又方燒牛角末酒服方寸匕

治喉痺卒不語煮大豆汁含之 千金方

治中風悪喉痺欲死者用白殭蠶以火焙乾黄色擣末生姜自然汁調灌喉中效

治走馬喉痺并毒氣壅塞用桔梗去蘆頭剉以水三大盞煎至一盞去滓不計時分溫三服 聖惠方

治走馬喉痺如左右喉痺於頂上分左右頭髮用手挽拔之剥然有聲立效

治喉痹雙乳蛾取壁上蜘蛛白窩患者腦後挍髮一根纏定蛛窩以銀簪挑燈上燒之存性研末吹傳患處即消

治喉痹並乳蛾用車前草鳳尾草擣爛以塩霜梅煑酒各少許再和擂以絹絞去渣以雞翎蘸汁掃患處痰涎隨出即消

治喉閉乳蛾將危者真膽礬二錢真片腦二分研末吹入喉即甦其效如神醫經大旨方

治喉痹咽喉喘息不通須臾欲絶用馬蘭草根葉二兩水一升半煑取一盞去滓細細喫立通外臺秘要

治咽喉腫閉疼痛用苦實巴豆兒徐徐含嚥其津液或以冷水磨濃汁少少嚥之甚效醫林集要

治咽喉腫閉用射干即扁竹根也取新者不拘多少搗爛生絹絞汁服下或動大腑即解或用射干如乾者以釅醋磨濃汁噙引出涎更妙

治咽喉腫痛收臘雞肸皮研細一錢菉豆粉二錢共勻以生蜜丸皂角子大每一丸噙化徐徐嚥津自消

治咽喉腫痛飲食不能下者取青艾葉搗絞取汁口含細細嚥津即消○又方以黃栢末傅腫處復易

之苦酒調末細嚥服亦可 肘後方

治咽喉痒痛失音不語杏仁桂心各一兩各研極細令勻以半熟蜜和丸櫻桃大綿裹非時含此大效 路公藥準

治咽喉腫痛口舌生瘡觧傷寒頭疼凡腫毒之屬殊效升麻細剉一兩水一升煎煉取濃汁服之入口即吐出毒氣 本草圖經

治上焦有熱口舌咽喉嗽有膿血用桔梗一兩甘草二兩為末每服二錢水一盞煎六分去滓溫服徐徐嚥之亦治肺癰 杜壬方

治咽喉風熱腫痛用蒲黄青黛甘草等分爲末蜜水調服

治咽喉間生肉層層相疊漸漸腫起有竅出臭氣用臭橘葉煎服愈 恠症方

治咽塞喉閉纏喉風腫畏用針者以乾蛇床子裝入小口瓶内以炭火燒煙出張口受煙一薰即破

治一二日咽痛煎甘草湯日三服一方加桔梗名甘桔湯 出御藥院

治懸癰垂長咽中妨悶用白礬一兩燒灰鹽花一兩右二味細研爲散以筯頭點藥在上瘥 孫用和方

治咽痺壅塞不通用紅花搗絞取汁服之以瘥為度本草圖經

治喉風氣不通用蛇蜕炙黄當歸量分為末溫酒調一錢匕服得吐愈

治喉閉煑桃皮汁服之立消千金方○又方白殭蠶天南星刮去皮等分生爲末每服一字以生薑汁下如咽喉米穀開不得即以小竹筒子擘口灌之涎出後用大薑一塊略炙過含之小可只傳脣上立瘥博濟方

治喉閉纏喉風用巴豆二粒綿緊裹角可通得入鼻

用刀子切斷兩頭殻子將針穿作孔子入鼻中久即瘥 勝金方

治喉閉腫不通搗鮮薄荷葉蜜丸噙化嚥津汁即效

奇效良方

治急喉閉逡巡不救以皂角去皮子生半兩爲末每服少許以筯頭點腫處更以醋調藥末厚傅項下須臾便破少血出即愈

治喉中腫痛并膈上痰熱用硼砂噙化嚥津即消散

醫林集要方

治喉中腫痛用敗筆頭燒灰將漿飲調方寸匕服

治喉中生努肉以綿裹筯頭柱鹽點之六七度易孫真人食忌

治喉中生瘡腫痛用華麻仁一枚朴硝一錢同研以新汲水作一服連進二三服效

治喉中瘡腫葱鬚濆陰乾為末蒲州胆礬一錢葱末二錢研勻一字以筒吹入喉中消

治急喉風用膽礬半生半熟共五分熊膽木香各三分右研細番木鱉磨井水調和以雞翅蘸掃患處如勢急口噤以筋啓之樂一掃下即消(一)又方用膽礬少許研細入竹筒吹入喉中去涎或腫破膿

血自出以溫稀粥食之莫食硬物自致疼痛不日而愈

治患喉痛用山豆根口含一片細嚥津

治纏喉風以桐油灌之或燈底油灌之吐出風痰立愈備急方○又方用雄黃一塊以新汲水磨急灌吐下瘥千金方○又方用好鵝嘴膽礬盛於青魚膽內陰乾爲末吹入喉中立瘥

治纏喉風咽閉用巴豆七粒三生去殼研泥四粒去殼炒熟去油用雄黃明者如皂子一塊又欝金如蟬肚者一枚各為末和勻每用一字茶調細呷如

口噤咽塞以小竹筒内少末吹在喉中須臾吐利即醒　攝生衆妙方

治纏喉風咽閉飲食不通欲死者以紫苑濃煎汁嚥下即開待惡涎出即可

治咽喉生瘡閉塞藥不能下命在須臾用巴豆去皮五粒以紙包用物碾油在紙上去豆不用將紙作捲以燈上點着吹滅急令煙開口薫喉中即消

治咽喉腫疼用苦參不拘多少煎湯徐徐服之

治喉痺乳鵝疼痛米穀難下膽礬白礬蓬砂等分為末每用一字用筆筒吹入喉中須臾吐涎其痛立

止重者不過三次大愈

治喉痺欲出膿未破命在旦夕用蛇脫不拘多少爲末每用一字吹在腫處即破涇陽醫士王玗方

心痛門

治心痛用蠟一塊如棗大以燈焰燒化丸如櫻桃大百草霜爲衣井水下三丸（救民易方）○又方乾姜末米飲調下一錢○又方治卒心痛苦參三兩苦酒一升半煮八合分二服（肘後方）○又方當歸爲末酒服方寸匕（分臺秘要）○又方用白礬末一錢川椒末二分以滚白湯調下（攝生衆妙方）○又方用枯白礬二錢石榴皮二錢以酒一盞煎服立效○又方用乳香没藥各等分擣末爲丸如櫻桃大每一丸凉水送下○又方用紅棗三枚去核巴豆

三粒去殼將巴豆三粒填入三棗內外用濕紙包灰火中煨熟去棗皮再入人參三錢同搗爲末晾一夜丸如粟米粒大每服五七丸燒酒送下立止○又方用枯白礬黃丹飛過等分以黃蠟溶和爲丸桐子大每服七丸姜湯下○又方用延胡索爲末酒調服二錢又一方加胡椒末亦佳○又方用結子苦楝根白皮乾一兩爲末酒調服只剉以水煎服亦可○又方用敗筆頭三箇燒灰爲細末以無根水調服立止聖惠方○又方用熊膽一豆大研和水服之大效○又方用破舊網巾燒灰研末

以酒調服立上古愚自效方○又方以雞卵一箇打破頭醋二合和攪令均煖過頓服

治心痛冷熱用伏龍肝末煮水服方寸匕右冷以酒煮服外臺秘要方

治心痛惡心欲絕用釜下墨半兩塩一錢和研以熟水一盞調頓服○又方用官粉一錢葱白搗汁為丸如豌豆大作一服熱酒下○又方用白礬如棗大一塊搗末以熱燒酒服下立止如腹痛白礬末一錢溫水服○又方用猪心一箇劈開以胡椒每歲一粒填在心内相和外用濕紙包裹慢火煨熟

傳信尤易方卷之四　心痛門　四十七

食之效乾坤生意○又方用斑猫七箇胡椒四十九粒同炒斑猫炒焦碎去猫不用取淨椒為末作一服熱酒調下衛生易簡方○又方用生白礬如皂角子一塊為末醋一盞煎七分溫服○又方用良姜梔子欝金各二錢醋煎服○又方取銀匠板上膠炙為丸如桐子大每服七丸熱燒酒下○又方用每歲胡椒一粒照數為末葱心七莖香油少許同搗爛以熱酒投入攪勻服之立止○又方用乳香三分火煉去油明礬枯過一錢研末好酒送下

食治老人冷氣心痛無時往往發動不能食用桃仁二兩去皮尖研水濾取汁青粱米四合淘淨右以桃仁汁煮粥空心食之常服除冷溫中

食治老人冷氣心痛發動時遇冷風即痛搗蓽撥末三合胡椒末一分青粱米四合淘右水煮作粥熟下二味調之空心食常服尤妙

食治老人冷氣心痛不止腹脇脹滿坐卧不得搗吳茱萸末二錢青粱米二合研細右水二升煎茱萸末取一升便下米煮作飲空心食之一二服尤佳

食治老人冷氣心痛鬱結兩脇脹滿切高良姜二兩

以水二升煎取一升半汁青粱米四合淘淨右以
姜汁煮粥空心食之一服極效
食治老人冷氣心痛絞結氣悶擣桂心末一兩右以
清酒六合令溫熱下桂末調之頓服一二服效
食治老人冷氣心痛牽引背脊不能下食炒紫蘇三
合研細青粱米四合淘淨煮作粥臨熟下蘇子末
調之空心服效
食治老人冷氣上逆心痛舉動不得搗乾姜末半兩
清酒六合右溫酒熱即投姜末酒中頓服之立效

治心腹冷痛用胡椒二十一粒搗為末溫酒或溫水調服一方加白礬末亦效

治心腹冷氣驟痛者取菖蒲一二寸搥碎同吳茱萸煎湯飲之良 本草方

治心腹內外痛用茱萸一升酒三升煎取半升空心頓服 證類本草○又方用草豆蔻一兩去皮為末以木瓜生姜湯下半錢 千金方○又方或已絕取烏梅二七枚水五升煑一沸入大錢二七枚煑二升半壯人可頓服弱人可分服 肘後方

治心腹惡氣口吐清水用艾葉搗汁飲之如乾煎湯

服（千金翼）

治熱心氣疼取百草霜研末取童便乘熱調服

治心氣痛不問冷熱用生芝麻一合細嚼服之痛立止

治九種心痛惡心吐水積聚氣滯是有蟲用乾漆四兩慢火燒煙盡為末醋糊丸菉豆大食後酒醋熱下五七丸蟲出即愈（惟症奇方）

治久心痛時發不定多吐清水不下飲食用雌黃二兩細研好醋二升熳火煎成膏以乾蒸餅末和膏丸桐子大每服七丸不拘時姜湯下

治四十年心疼不瘥，以黍米淘汁溫服，任多少。附後方

治卒心痛，龍膽草四兩，酒三升，煑取一升半，頓服。肘後方○又方用黃連八兩，㕮咀，水七升，煑取五升，絞去滓，溫飲五合，日三服之。外臺秘要○又方用取東引桃枝一把，切，以酒一升，煎取半升，頓服，大效。○又方用檳榔二兩，陳皮一兩，爲末，空心生蜜湯調服方寸匕。○又方用生香油半合，溫服，瘥。○又方取連鬚葱白七寸，擣泥，以生香油調下。肘後方○又方用郁李仁三七枚，爛嚼，以新汲水下之，飲溫湯尤妙。須臾痛止，却煎薄塩湯熱呷之。

治醋心每醋氣上攻味似釅醋用茱萸一合水三盞煎七分頓服縱濃亦須強服近有人心如螫破服此方後二十年不犯 兵部手集

治心下堅硬如有物用神麯山查為末每服三錢空心熱酒或沸湯調下 經驗方

治心下堅硬如盤用枳實去穰麩炒一錢半白术三錢水一盞煎七分溫服其堅即散 衛生易簡方

治心下有水積用白术三兩澤瀉五兩剉以水三升煎一升半分服 梅師方

治心中煩悶用白术末水調服方寸匕

治實心痛去餘邪利後痛止用藁本半兩蒼朮米泔浸炒一兩右㕮咀分爲二劑水煎服 醫林集要方

治心頭痛取萹蓄草剉以醋煎服 醫林集要方

治蟲咬心痛用鶴虱一兩爲末空心溫醋下蟲當出

○又方用黃硇砂一豆粒研極細末以冷水調化下

治蟲咬心痛面青口吐沫出臨死者取萹蓄十斤水一石煎去滓再煎如飴空心分服其蟲自下重者再服須通宿勿食來日平明服

治蛔蟲心痛取槐樹上木耳如棗許燒末痛時和水

服若不止飲熱水一升蛔蟲利出外臺秘要

治蛔蟲攻心腹痛取薏苡仁根切水煎濃汁服之蟲死盡出本草集要

治蚘咬心痛不可忍或吐青黃綠汁涎沫或吐蟲出用乾漆搥碎炒令煙盡一兩雷丸蕪荑各五錢右為細末每服三錢不拘時溫湯調服不過三服瘥小兒每服半錢

治鬼疰心腹痛不可忍取東南桃枝削去蒼皮用白枝一握水二升煮至半升服盡如未瘥再服

治心脾痛以高良姜細剉微炒搗末米飲調下一錢

乜立止千金方

治備急鬼疰心痛用桃仁一合爛研煎湯吃

治婦人心痛血氣刺不可忍失笑散五靈脂淨好者蒲黄等分為末每服二錢用好醋一杓熬成膏再入水一鍾同煎至七分熱服立效經驗方

治心氣痛用艾葉茴香川練子俱炒等分以醋煎服○又方雄雞糞炒黄為末每服三錢好酒下○又方古石灰朴硝同炒黄各等分每服三錢好酒下

○治蠱咬心痛用樗根白皮煎湯下不拘時服○

治心痛發渴用西瓜皮燒灰每服三錢無根水下

○治心疼想吃京物者吃無根水立止○治暑月食瓜果傷冷心疼者用燒酒飲之立止以上涇陽醫士王玎方

腹痛門

治血脹腹痛用荷葉以酒煎服怪症奇方

治腹脹痛用草豆蔻仁一兩爲末每服半錢木瓜姜湯任下千金方

治腹痛及胸脇痛熱湔取羚羊角爲末水服方寸匕子母秘錄

治腹痛用乾馬胡姜淨末一錢熱酒調服

治腹疼用良姜香附各另爲末用時各炒和匀一處以姜米湯調服立止好酒亦可

治元臓虛冷氣攻臍腹痛用生研硇砂一兩川烏頭

生去皮剉為末二兩用鐵霞草末二兩與硇砂同研匀用一小砂礶子不固濟慢火燒通赤熱將拌硇砂入罐子内不盖口加頂火一秤火盡爐寒取出研與烏頭同研匀湯浸蒸餅丸桐子大每服三丸木香湯下或醋湯任下 陳巽方

治腹痛煩悶用鹿角燒末以豆汁服方寸匕日二服 子母秘録

治卒患腹痛用山豆根水研半盞入口瘥 經驗方

治小腹痛滿不得小便用雄黄細辛研末蜜丸如小棗核大納溺孔中立效 傷寒類要

治小腹痛面青黑或止氣不能喘用苦參一兩醋一升半煎八合分二服

治小腹急滿熱上衝胸取藍葉一把水五升椎鼠糞兩頭尖者二七枚煮取二升盡服之溫覆出汗瘥 附後方

治小腹硬滿胸中脹能食不消用神麯末熱酒調服方寸匕

治腹脹滿漸瘦用豬牙皂角相續量長一尺微火煨去皮子搗末蜜丸桐子大欲服藥先喫煮羊肉兩臠呷汁三兩口以肉汁下藥十丸得快利爲度覺

得力更服以利青水即停瘥後一月已來不得食肉及諸油膩海上方

治腹脹用蔓菁子一大合擣熟研水一升更和研濾取汁可得一盞頓服少頃自得轉利或亦自吐腹中自寬或得汗愈

治鼓脹心腹痞滿用大黄桃仁雞屎乾者等分為末每服一錢水一盞生姜三片煎湯調食後臨卧服

治鼓脹氣滿用苦丁香為末棗肉丸桐子大每服三十丸空心棗湯下三服必愈千金方

治腹內氣脹滿喘息不得用葶藶子一升炒紫色酒

浸一宿研爛每服三匙溫酒調服無時大效證類本草

治氣血凝滯腹內膨脹用枳殼四兩去瓤切作片分四處并蒼朮蘿蔔子牛膝茴香各一兩各分一分炒黃只用枳殼為末却將同炒四味用水二碗煎至一碗去滓煮糊丸桐子大每服五十丸食後米飲下外臺秘要

治天行後兩脇脹滿敷鹽熨之如小便澁亦用熨臍下肘後方

治關格脹滿大小便不通用獨頭蒜燒熟去皮綿裹納入下部即通外臺秘要

治腹中有物如石取蒴藋根一小束洗瀝去水細擘以酒二升浸三宿煖温服五合至一升日三服如急於服餌則於熱灰中温令藥味出服之外臺秘要

治腹滿不能服藥煨生姜一塊綿裹納下部冷即易之梅師方

治腹滿小便不利氣急用甘遂二分為散分五服熱水下如覺心下煩得微利日一服楊氏産乳方

治脹滿用檳榔為末每服二錢水煎食前服救氏方

治陰沙腹痛而手足俱冷身上有紅點以燈草蘸油點火燒之陽沙則[illegible]手足俱煖仍先以兩臂推

下惡血後以針刺手指近爪甲一分半許去血即安

治絞腸沙作痛炒塩一兩以熱沸湯調入口則止或吐或利腸痛即止○又方以手蘸溫水於患人膝膕用力拍打有紫黑處以針刺惡血出即安○又方以樟木煎湯服之大吐或白礬末調湯吐之塩湯亦可 丹溪心法 ○又方用胡椒菉豆各二十四粒同搗碎熱酒服之極效 聖惠方

治臍上絞痛用木瓜一兩桑葉七片大棗三枚碎之水二升煑取半升頓服瘥 孟詵方

腰痛門

治一切腰痛用當歸肉桂各一兩、威靈仙二兩右爲末酒煮糊丸桐子大每服十五丸溫酒下

治腰痛神效用菴蕳子擣碎入乳香少許酒調三錢空心服 安老方

治腰痛極驗用附子炮五錢牽牛一兩爲末酒糊丸桐子大每服五十丸空心鹽湯下

治老人腰痛皆因陽氣衰弱腎虛所致用鹿茸半兩酥炙附子炮一枚棠毬子五十粒右㕮咀每五錢姜三片水二盞煎八分食遠溫服或爲末姜汁糊

丸桐子大每服五十丸空心溫酒下

治腎虛腰痛取生葛根嚼之嚥其汁多多益佳怪症奇方

治腰痛或閃錯腰痛用杜仲炒去絲破故紙胡桃仁等分以酒煎服攝生衆妙方○又方用糯米一二升炒極熟盛長袋中熨於痛處細研八角茴香末三錢隨時以鹽酒調服

治腰痛用橙子核炒乾爲末每服三錢以白酒服即愈○又方收西瓜青皮爲片陰乾爲細末以鹽酒調空心服尤妙○又方用杜仲炒去絲橘核炒取仁爲末每服二錢入鹽少許食前溫服○又方黑

牽牛四兩半生半炒取頭末水丸桐子大以硫黄爲衣每服三十丸空心鹽酒下 丹溪心法

治腰痛有瘀血作痛用官桂末每服一錢空心酒下

治腰痛不能俯仰炙鱉甲爲末酒調服之 可效单方

○又方用當歸五錢延胡索五錢肉桂二錢半共爲末酒二碗桃仁搥碎十五枚煎湯每次調末二錢連滓空心服甚效 衛生易簡方

治卒腰痛暫轉不得用鹿角五寸燒令赤用酒二升浸一宿飲之 經驗良方

治腰痛取黄狗皮炙褁腰痛處取煖徹爲度頻褁即

瘥矣

治氣滯腰痛用連翹砂仁不拘多少爲末空心溫酒調服效

治腰痛用破故紙擣末溫酒空心下三錢七神妙千金方○又方取茴香莖葉擣汁一盞分三服滓傅患處

治積年久疾腰痛取地膚子微炒爲末煎小茴香湯調服方寸七日五六服○又方用大黃半兩生姜半兩同切如豆大於鐺內炒黃色入水二盞煎沸至五更初頓服天明取下腰間血物用盆盛視如

雞肝樣郎痛止 斗門方

治腰腎痛用杜仲削去粗皮用酥蜜炙焦色爲末煉蜜丸桐子大每服五六十丸温酒下一方用酒浸徐徐飲之 惠菴集

治腰痛補腎湯杜仲一斤五味子半升切分十四劑每夜一劑水一升浸至五更煎五分去滓用羊腎一二枚切入再沸如作羮法空心加醋服之篋中方雀兀亮不用五味子

治腰痛生姜一斤取汁四兩牛皮膠一兩同煎成膏厚紙攤貼患處極效

治腎虛痰氣腰痛用白芥子擣末和作餅腰上先敷紙三層以餅敷於中再敷紙於上以熨斗熨之即止

治腰膝傷敗疼痛用鹿茸不拘多少塗酥炙紫色爲末溫酒調下一錢七日五六服

治腰腿軟用晚蠶沙炒熱熨之妙○又方用赤剝兒燒灰存性爲末以無灰酒空心調服

治卒患腰腿疼痛此能補腎杜仲一兩去粗皮酥炙微黃剉水二盞煎至一盞去滓用羊腎兩對細切去脂膜入藥中煮次入葱白七根塩花椒姜醋等

[illegible][illegible]空心食之妙

治腰腿痛用新胡麻一斗炒令香爲末日服一升許一斗盡永瘥酒飲羮汁蜜湯皆可調服

治腰腿疼痛用威靈仙一斤洗乾好酒浸七日乾爲末麪糊丸桐子大以前浸藥酒下三十丸

治腰腿脚痛用威靈仙蒼朮米泔浸切鹽水炒乾爲末空心煎木瓜酒調服一錢日二服已上俱出惠菴集

治腎虛腰腿無力取生栗子袋盛懸乾每日平明喫十餘顆次喫猪腎粥經驗方

治腰脚冷痺疼痛用川烏頭三分去皮臍生擣爲末

釅醋調塗於帛上傳之須臾痛止

治脇痛有瘀血用桃仁九粒不去皮尖以紅花一撮酒煎食後服　聖惠方

治脇下疼痛用小茴香一兩炒枳殼麩炒五錢右為末每服二錢鹽湯調下

治腰脇卒背痛大豆二升酒三升煮取二服佳　肘後方

治肝經積熱脇痛用黃連酒浸為末每服一錢半空心煎川芎湯調下

治因驚傷肝兩脇疼痛用枳殼一兩桂枝半兩為末每服二錢姜棗湯調下

治閃錯腰痛用白細麵如拳大一塊燒令通赤投入好酒二大盞内淬之飲盡仰卧少頃效 備急方

治閃錯腰疼不能屈伸用牙硝一錢雄黃一錢麝香半錢右研極細末以少許點入眼角中令人扶患者周圍行數次腰痛如失如未效再點再行疼止爲度

治腰痛用煻火炮核桃仁五箇空心用好燒酒下○

又方用破故紙酒炒杜仲姜汁去絲各二錢爲末擦入猪腰子内煨熟空心食之好酒下 涇陽醫士王玎方

腋氣門

治腋氣用生姜一塊擣碎以帛褁塗腋下絕根（衛生易簡）方○又方用蜜陀僧為極細末以清油塗搽或先以漿水洗凈乾搽○又方取馬齒莧杵爛蜜和作團紙褁泥塗厚半寸日乾燒熟破取更以蜜少許和仍令熱先以生布揩之以藥挾腋下令極痛難忍然後以手巾勒兩臂即瘥○又方用青木香作厚片好酒浸一宿挾腋下數次即愈○又方用膽礬一豆粒大田中螺一枚以水養三日出盡泥土揭起靨甲入礬及麝少許以線拴住放於磁器內

次日已化成水須於五更將藥水用手抹在腋下不住手抹待腹內欲利却住手先擇無人到處空地內去大便黑糞極臭是其證以土厚蓋之勿令人知如不盡再以藥水抹之去大便次日以枯白礬末糁可去病根○又方以白礬一兩樟腦一錢蛤粉半兩為末搽之極效○又方用甘遂四錢為末取新宰牙猪精肉一塊摻末在上熱挾腋下却將甘草二兩剉細濃煎汁熱飲必大瀉一二次氣不可近然後除去腋下肉藥即愈○又方用烏賊魚骨枯白礬各三錢密陀僧一錢為末先以漿水

洗臭處後用藥末搽之○又方用銅青二錢黄丹壁上土各一錢爲末以古銅錢一文磨漏燈香油調藥令患人洗浴了剪去腋下毛搽之二日一次不過十度断根○又方治諸腋臭用伏龍肝和作泥傅之立瘥千金方

傳信尤易方卷之四 終

傳信尤易方卷之五

易州醫官鄭廷臣檢閱
涇陽儒士王珝校正

諸淋門

治小便淋澁用滑石與石膏同擣爲末調服二錢亦治石淋發煩悶效

治小便不利莖中疼痛小腹急痛用蒲黃滑石各等分爲末酒服方寸匕日三服大驗

治小便澁少赤色澁痛用冬麻子一升水一升研濾取汁和米三合煮粥入葱椒姜豆豉空心服○又方用紫草一兩擣羅爲散食前以井花水調下二錢聖惠方

治下焦真氣虛弱小便頻多日夜無度用白茯苓去皮鹿角霜各等分爲末酒煮糊丸桐子大每服三十丸空心鹽湯下 惠菴集

治心腎俱虛神志不守小便淋瀝不禁赤茯苓白茯苓各等分爲細末以新汲水挼洗澄去新沫控乾復研爲末另取地黄汁與好酒同於銀石器内熬成膏搜和丸如彈子大每服一丸細嚼空心以鹽酒送下 安老方

食治老人淋病小便不通利秘澁少痛取楡白皮一兩切用水二升煮取一升半汁白麪二兩右搜麪

作之於榆汁中拌煮下五味葱椒待熟空心食之三五服能利水道養老書

食治老人淋病小便下血身體熱盛用車前子五合綿裹水煮取汁青粱米四合淘淨右煮煎汁空心食之證類本草

食治老人五淋久不止身壯熱小便滿悶用小麥一升通草二兩以水煮取三升去滓徐徐食之須臾當瘥千金翼

食治老人五淋秘澁小便禁痛臑悶不利用蒲萄汁一升白蜜三合藕汁一升相和微火煎溫三沸即

止空心服五合食後服五合常服之殊效 千金翼

治小腸五淋用石决明去皮甲搗細末如有軟硬物淋郎添木通細末熟水調下七服

治五淋利小便導小腹熱用通草剉以水煎服 本草集要

治五淋用赤芍藥一兩檳榔一箇麪裹煨爲末每服一錢水一盞煎七分空心服 千金方 ○又方用地膚子或莖葉五兩水四升煎取二升半温分三服○又方用石燕子七箇搗如黍米大桑白皮三兩剉如豆粒大匀作七服每服水一盞半煎半盞去滓温服日三服瘥○又方用榆白皮陰乾爲末每

日早晚以水五合末三錢調如膏[illegible]服亦治虛煩

治石淋酥炙鱉甲爲末酒服七日二三服石子下瘥奇效單方○又方用車前子二升以袋子盛水八升煮三升服之須臾石下○又方取燕子[illegible]糞研末以冷水服之五錢以早間服至飯時後淋石化水下○又方用螻蛄七箇鹽二兩用新瓦上鋪蓋焙乾研末每服溫酒調一錢服之即愈○又方用桃膠如棗大夏以冷水三合冬以湯三合和爲一服日三服當下石盡方止○又方便中有石子者取胡桃肉二升細米煮稀粥一升相和頓服即瘥圖經本草

治石淋澁者用黑豆一百二十粒粉草二寸剉水煎乘熱入滑石末一錢空心服

治沙石淋澁者用牛膝一握水五盞煎一盞去滓入麝香乳香少許研細調服○又方取萱草根搗取汁服○又方用琥珀二錢研末空心葱白煎湯調服極效乾坤生意

治熱淋用瞿麥三錢甘草三錢水一盞煎七分空心溫服○又方用赤小豆三合慢火炒熟爲末煨葱一莖細切溫酒調二錢匕服○又方用乾地黄木通甘草等分剉細每服三錢水一盞竹葉少許煎

六分不拘時溫服

治小便熱澁痛用黃芩四兩剉袋貯之水五升煮三升分三服

治心經蘊熱小水赤澁淋痛木通黃芩各一兩生地黃二兩爲末煉蜜丸桐子大每服五十丸木通煎湯下已上惠菴集

治熱結淋閟作痛尿血用山梔子瞿麥甘草炙各三錢㕮咀作一服水二鍾生姜三片葱三根燈草五莖煎至一鍾食前服醫方選要

治下焦熱結小便淋閉作痛有時尿血用甘草炙三

錢瞿麥穗一錢梔子仁炒半錢水一盞姜三片葱三根燈草三十莖煎服

治一切淋瀝服藥未效用生鐵多年舊刀一口以盆盛水用沙石磨水汁澄清每服半盞不拘時服○又方磨剪汁水飲之亦效千金方

治膏淋用海金砂滑石各一兩甘草二錢半爲細末每服一二錢麥門冬煎湯空心調服燈心湯亦可

治淋用滑石六錢甘草一錢爲末每服二錢小茴香煎湯調服衛生簡易方○又方用牛尾燒灰水調服半錢醫林集要○又方取生續斷不拘多少搗絞汁每服

空心半盞即馬蘇根　外臺秘要

治氣淋以水三升煑船底苔如鴨子大取二升頓服　千金方

治諸淋用硝石一兩細研如勞淋勞倦虛損則發用葵花末煎湯調二錢服氣淋木通煎湯調服血淋熱淋以井花水調服小便不通小麥煎湯調服諸淋併令水調空心服石淋研藥末入銚子内隔紙炒至紙焦再研細溫水調服○又方以大蘿蔔切作一指厚片用好蜜淹片時安鐵上慢火焙乾又蘸又焙蜜盡三兩反覆令香熟不可焦食前細嚼

鹽湯下

治遺尿小便澁赤用白术防巳各二錢㕮咀水一鍾煎七分空心溫服 孫真人方

治無故遺血亂髮及爪甲燒灰酒服方寸匕

治血淋以水三升煮葵子一升取汁日三服亦治虛勞尿血皆效 千金方

治血淋熱淋取酸漿草擣汁入蜜同服

治血淋燒亂髮灰一錢麝香少許爲末空心醋湯作一服○又方用白梅三兩燒灰存性爲末入麝香少許酒糊丸桐子大每服五十丸空心白湯下 道藏

經方○又方淋下血取麻根十莖水五升煮取二升一服血止神驗亦治五淋肘後方

治熱淋血淋用赤小豆熟爲末每二錢煨葱一根搗爛溫酒調服○又方用白薇赤芍藥等分爲末每二錢溫酒調下丹溪心法

治小便出血當歸四兩細剉酒三升煮取一升頓服葛洪得效方○又方用研龍骨末溫水調服方寸匕日二服瘥博濟方

治大小便利血燒亂髮灰爲末飲下方寸匕

治尿血取車前草搗絞汁五合空腹服外臺秘要

治淋血用柿餅一箇批開擦青黛二錢燒存性空心好酒下○又方用黄栢知母山梔子滑石各等分入竹葉十片水煎空心服○又方用桃仁承氣湯空心服效○又方用芒硝三錢空心溫酒下（涇陽醫士王玎方）

治小便尿血不定用鬱金一兩擣末葱白一握相合以水一盞煎至三合溫服日三服（經驗方）

疝氣門

治陰疝用白頭翁草根者不限多少搗之隨腫處傅一宿當生瘡二十日愈外臺秘要

治陰疝牽引小腹痛厥症即陰疝喜欲勞痛不可忍者用蒺藜麩炒去尖附子炮去皮劑梔子仁等分爲末每服三錢水煎服衛生寶鑑方

治寒疝小腹及陰中相引痛汗出欲死以丹參一兩杵爲散每服熱酒調下二錢七佳

治寒疝心腹引痛以大烏頭五枚去皮劑以白蜜一斤煎令透潤取出焙乾搗羅細末又以熟蜜汁丸

如桐子大塩湯下二十丸 崔氏方

治水疝偏大上下不定疼痛用牡蠣不限多少塩泥固濟炭三斤煅令火盡冷取二兩乾姜三兩炮爲末以冷水調稀稠得所塗患處小便大利即愈 虞世南方

治疝氣偏有大小時時上下者取蜘蛛十四枚炒焦桂半兩二物爲散每服八分日一匕再蜜丸亦通

治疝氣上衝如有物築塞心臓欲死手足冷者用硫黄入杓以火溶化即投水中出火毒研細茘枝核炒黄爲末陳皮末各等分共末 飲丸桐子大每服

十四丸酒下其疼立止自覺疼甚不能久持略用六丸不可多也萬氏家抄

治疝氣用延胡索塩炒全蝎各五錢爲末每服半錢空心塩酒調服醫林集要○又方用天仙藤剉好酒一碗煎半碗服之神效安老懷幼方

治諸疝小腹及陰中招引痛如絞自汗出欲死者用沙參擣末以酒服方寸匕立瘥

治諸疝發時用海石香附爲末生姜汁調下一二錢七日二服亦治心痛攝生衆妙方

治小腸疝氣小便難者每用雞子一枚敲破取黄以

溫水調服不過三枚則瘥○又方用連樹木咀碎爲細末臨發時酒送下○又方用核桃每一枚火内燒灰研細熱酒調下奇效良方○又方用曾經煆金銀乾鍋子槌碎研令極細每服二錢熱酒調下

治小腸氣用黄荆子一碗入鍋内炒熟將酒一盞入内一滚取起乘熱服之即時見效○又方用玄參㕮咀炒爲末每服一錢或錢半空心酒下汗出有效張真人萬應方○又方用天台烏藥一兩升麻八錢㕮咀水二鍾煎一鍾露一宿空心熱服

治小腸氣臍腹痛陰股中急疼茴香塩炒枳殻各一

兩没藥五錢爲末每服一二錢熱酒調服並兩三服

治遠年近日小腸疝氣臍下撮疼外腎偏墜腫硬陰間濕痒抓成瘡癬用吴茱萸一斤淨四兩酒浸四兩醋浸四兩湯浸四兩童便浸各一宿用火焙乾澤瀉去毛土二兩右爲末酒煮麪糊丸如桐子大每服五十丸溫酒鹽湯任下

治冷氣漸入陰囊腫滿日夜疼痛取生花椒擇之令淨以布帛裹之著陰囊令厚半寸須臾熱氣大通日再易之取瘥方千金〇又方取海藻曝乾爲末每

服三錢空心好酒服方寸匕日一二服

治膀胱氣用葫蘆巴蘹香子桃仁麩炒各等分半以酒糊丸半為散每服五十丸空心食前塩湯下散以米飲調下相間空心服日各一二服衍義方

治本臟氣傷膀胱連小腸等氣用金鈴子一百枚湯浸去皮巴豆二百粒槌微破麩一升同於銅鐺內炒金鈴子赤熟為度放冷去巴豆並麩去核為末每服三錢非時熱酒醋湯調下並得經驗方○又方用文蛤同香附為末以生姜調服方寸匕日再服

○姜芩散治疝如神乾姜五錢燒存性黃芩五錢

燒存性右爲末每服五錢空心好酒下〇灸法用草一莖橫量兩口角上摺作三停安臍上中停二停垂下草盡處是穴灸二七壯神效二方涇陽醫士王玎方

陰痿門 附陰癩

治陰痿用蛇床子濃煎湯浸洗○又方用地膚子陽起石等分爲末每服方寸匕酒調服○又治陰痿並陰汗用陽起石爲末每服二錢空心鹽湯調下

治男子陰痿女子帶下及疝瘕用雀卵白和天雄兎絲子末爲丸桐子大空心酒下五丸 千金方

治陰痿用覆盆子汁作煎服○又方用雄雞肝一具鯉魚膽一枚右二味陰乾百日爲末雀卵和丸如小豆大每服一丸日三服○又方用兎絲子一升雄雞肝三具右二味爲末雀卵和丸每服一丸如

小豆大日三服○又方用蜂房灰夜卧傅之又方常服天門冬亦佳○又方用兎絲子五味子蛇床子各等分爲末蜜丸桐子大飲食前服三丸日三服以上惠菴集

治陰腎熱肝虚筋痿用肉蓯蓉去鱗甲酒洗鹿茸酥炙兎絲子酒蒸牛膝各爲末煉蜜丸桐子大每服三十丸溫酒或塩湯下○又方用鹿茸去毛酥炙一兩黄栢去皮塩酒浸炒紫色一兩爲末每服三錢空心好酒下

治陰囊腫大如斗升者用馬鞭草擣自然汁付之不

過三五次驗〇又灸法如左腎腫將玉莖向
處灸之七壯神效以上涇陽醫士王玎方
治陰囊㿗𤸇用狐狸陰莖炙乾爲末空心溫酒服一
錢匕衛生簡易方
治陰囊腫大如升斗用荔枝核多者搗碎煎湯洗浴
日二三次即瘥〇又方取蕪菁根搗和醋傳之
治陰腎腫痛用萵苣子一合爲末水一盞煎五分去
滓不時溫服不過三服大驗
治腎風陰囊痒取猪尿胞炙熟空心喫塩湯嚥下
治外腎腫脹用茴香炒全蝎去毒炒穿山甲酥炙木

香等分爲末每服二錢酒調下痛止立效

治外腎偏墜用茴香炒糖毬肉各一兩爲末水糊丸桐子大每服三十丸空心白湯下

治外腎偏大用牡丹皮防風等分爲末每服二錢食前溫酒調服

治大人小兒外腎偏腫大因氣脹行走疼痛用牡丹皮肉桂黄栢炙桃仁炒等分爲末酒服方寸匕二十日愈小兒乳汁和大豆許服之忌葱蒜大驗

治偏墜用茴香甘遂等分爲末每服二錢溫酒調下

治陰汗用綿黄芪切細入銚中以酒炒脆爲末以猪

心煮熟蘸末食之效○又方用蛇床子石菖蒲等分爲末一日三兩次塗搽之○又方用沒石子燒灰先以溫湯洗拭乾却以帛裹灰傅囊上

秘結門

治大小便不通關格不利燒皂角細研粥飲下三錢立通方聖惠○又方取亂髮燒灰爲末三指取一撮水調服○又方取豬胆大如雞子和酒煎熱服之千金翼○又方剉瞿麥水煎空心服之即通○又方用豬脂二兩水一碗煮三沸飲汁立通治氣癃不得小便取鼠婦研汁水調飲即通○又方用連根葱白一二莖帶土生姜一塊淡豆豉二十一粒塩一撮同研爛捻作餅子烘熱掩臍中以布條劄定久之氣透自通○又方用不蛀皂角安瓦上燒着

置馬桶內坐上薰其糞門自通〇又方用萹蓄草切咀以水煎服〇又方取蚯蚓杵以冷水濾過濃服半盞立通大解熱疾不知人事欲死服之甚效〇又方燒髮灰二錢滑石末一錢桃白皮煎湯調下衛生簡易方

治忍小便以致尿胞轉以蒲黃裹腰腎令頭置地三度通葛氏方

治小便中出屎大便出尿名交腸用舊幞頭燒灰酒調下五分愈怪証奇方

治老人小便不通取白頸地龍茴香用時看多少件

杵作餅丸納臍中自然即通

治小便不通膀胱有熱用白花散朴硝不以多少研每服二錢匕溫茴香酒調下不時服簡要濟衆○又方用滑石末一升以車前草汁和塗臍四畔方四寸熱即易之冬月水和亦得楊氏產乳方

治小腹痛滿不得小便用雄黃研細末蜜丸如麥粒大入尿孔中及療天行病傷寒集要

治小便卒太數非淋令人瘦以石膏半斤擣碎水一斗煑取五升每稍飲五合肘後方

治小便不通及尿胞轉取梁上塵三指撮以水服之

○又方用車前子草一斤水二升煎取一升半分三服百一方○又方用土狗大者一箇小者二箇炙乾研爲細末入氷片麝香少許用小筒或鵝管吹入龜孔中少頃氣透自通○又方以明礬末塡臍中井水頻以指蘸滴礬令濕者通右以蚯蚓糞朴硝等分調敷小腹者即通○又方用葵子茯苓等分㕮咀每服四錢水一盞半煎至一盞食前服

治小便不通膀胱水氣凝滯用浮萍日乾研末每服方寸匕燈草湯調下

治小便失禁以水三升煮雞腸取一升分三服

治小便卒暴不通小腹脹急氣上冲心悶絶欲死此
由暴氣乘膀胱或驚憂氣所伸鬱悶迫冲脬氣致
此用陳皮三兩葵子一兩㕮咀每貼八錢水二盞
葱白三莖煎一盞食前温服

治心經有熱唇焦面赤小便不通用木通連翹各等
分為細末每服一二錢空心麥門冬煎湯調下或
燈心煎湯亦可 奇效良方

治小便難腹滿悶不急療之殺人用秦艽一兩剉水
一盞煎至七分食後分二服 聖惠方

治小便不利莖中痛欲死兼治婦人血結腹堅痛牛

膝一大把並葉不以多少酒煮飲之

治小便不通腹痛不可忍用木通滑石各一兩黑牽牛頭末半兩每服一錢水七分一盞燈草十莖葱白半根煎四分食前服

治小便不通臍下滿悶用海金沙一兩臘茶半兩為末每三錢生姜甘草水煎服○又方取雞黃服之三五即通○又方取自已指甲燒灰研末水調下○又方用陳筆頭燒灰水調下 經驗方

治卒不得小便用杏仁二七枚去皮尖炒黃米飲服之瘥 產寶方

琥珀散能拾芥者爲真用琥珀爲末每服一錢小便不通燈草薄荷湯下五淋葱白湯下心氣痛酒調下虛老人小便不通人參湯下産後發熱生地黄和酒調下金瘡損傷童便下

治小水不通用海蚆兒一對一箇生一箇燒存性擣末作一服空心溫酒調服

治大便不通用烏桕木根皮擂爛以熱水調和濾去滓溫服濟生便宜方○又方蜜導法用蜜煉如飴乘熱撚如指大長二寸兩頭如鋭入谷道中良久當下燥糞如不利蘸皂角末入内即通○又方用猪膽

去少半入醋在内以竹管一頭入谷道内一頭内膽口内以手撚膽即灌射入内甚效通瘥○又方取桑白皮榆根白皮各一把㕮咀以水三升煮取一升半分三服○又方用葵子末一升青竹葉一把以水二升煮五沸頓服○又方用蜜一小盞皮硝三錢酒半鍾滾白湯半鍾空心調下攝生衆妙方○又方研麻子仁相和爲粥食得通肘後方

治大便澁不通用牽牛一半生半炒熟擣爲散每服二錢煎姜湯下如未通再服攻以熟茶調下量實虛加減服簡要濟衆

治風熱結滯臟腑實熱大便秘結用大黃荊芥石剉
水煎溫服
治大便風秘不通用草烏爲末以葱白帶涎蘸末入
肛門中立通○又方用生姜長者一塊削尖以葱
蘸香油揉搽令姜潤滑入於谷道中良久即通
治大便卒結澁滯不通取羊蹄根一兩㕮咀一大盞
煎六分去滓空心溫服 醫林集要方
治虛羸大便秘澁用枳殼製阿膠炒等分爲細末煉
蜜和劑杵二三千下丸如桐子大每服三十丸米
通再服五十丸溫水下○又方用車前子一兩大

黃半兩炒爲末每服三錢空心蜜湯調下

治弱人氣秘大腑不通用橘皮杏仁去皮尖等分爲末煉蜜丸桐子大每服五十丸食前米飲下○又方用紫蘇子麻仁等分研爛取汁煮粥食之

治冷秘風秘老人秘用硫黃透明者研半夏泡七次等分爲末以生姜糊丸桐子大每服二十丸姜湯下或葱白一根姜三片入阿膠二片溶開水煎空心服

治上焦熱臟腑秘結用大黃一兩黑白牵牛頭末各一兩右爲末有厥冷酒調下無厥冷手足煖蜜水

調下

治老人熱秘用大附子一箇燒存性爲末每服一錢熱酒調下 安老·懷幼方

治老人大便秘澀調風順氣用枳殼防風各一兩甘草炙五錢右爲末每服二錢以沸湯空心食前各一服立通

治大腸秘結皂角去子炙枳殼去瓤麩炒各等分爲末蜜丸桐子大空心米飲下七十丸

治大腸風氣壅熱結澀用黑牽牛微炒搗末一兩桃仁麩炒去皮尖半兩爲末煉蜜丸桐子大溫水下

二三十九

治糞燥生姜削如小指長二寸塩塗之入下部中立通外臺秘要○又方用古石灰不拘多少放于盆内投沸湯澄清服之即驗○治老人臟燥大便秘澁用核桃一兩去皮檳榔一錢水一鍾煎八分去滓入香油數點空心服之涇陽醫士王玎方○治大小便不通用皂角三斤水二桶入鍋煎沸放于甕内令病人坐于内動即通○治小便不通飲黒牛尿即通○又方用蓬砂五錢爲末水調塗臍上用扇搧之百數即通○又方用芒硝一升放于臍

上用大艾壮灸之即通

治小便澁滯生地黄木通黄芩各等分㕮咀以水煎温服　王玎方

腸風門

治臟毒取卷栢生石上高四五寸根黄如絲細上有黄點子取之焙乾黄芪各等分爲末每服三錢空心米飲調下○又方荆芥穗硇砂等分爲末每服空心米飲調二錢入百草霜一錢亦可服○又方用茄蒂煙上薰乾燒存性爲末每服三錢米飲調服隔年者尤佳

治臟毒下血黄連爲末煨熟獨蒜研和丸桐子大每服四十九空心陳米飲下○又方用烏梅連核燒存性百藥煎燒存性白芷各等分爲末米糊丸桐

子大每服七十丸空心米飲下○又方用苦楝炒令黄色爲末蜜丸米飲下二十丸尤妙經驗良方

治瀉血不止取桑耳一兩以水一升煎至六分去滓空心温服廣利方

治腸風瀉血黄耆黄連等分爲末麪糊丸如菉豆大每服三十丸米飲下

治腸風瀉血當日即止用附子一兩炮去皮劑爲末緑礬四兩用瓶子盛之火煆食頃候冷取入盐一合碗黄一兩同礬研依前入瓶子内燒食候冷取出研細用之右二味一處研令匀米粥丸梧子大

空心取地黃汁下三十丸當日止一月除根亦可

又服助下元除風氣補益臟腑千金方

治腸風下血取椿根白皮北引者去粗皮酒浸晒乾爲末棗肉丸桐子大每服三五十丸酒送下○又方用五倍子爲末每服二錢空心麝香酒調服醫林集要○又方用蒼朮米泔浸焙一兩地榆五錢右㕮咀分二貼每貼水二盞煎八分空心服○又方用炒槐花荊芥穗側栢葉等分爲末以枳殼煎湯調服二錢米飲調亦可○又方用地骨皮樗根白皮等分同炒黃爲末每服三錢空心溫酒調服○又

方用槐花陳久者爲末米飲調服方寸匕〇又方用枳實半斤麩炒去瓤綿黄芪半斤共搗細末以米飲不時下二錢匕若難服以麪糊爲丸湯下三五十丸經驗方

治腸風暴下鮮血用梔子仁燒灰水調一錢服

治遠年近日腸風下血不止用枳殼燒存性爲末炭末各五錢匀和以米飲調下二錢空心五更初一服如人行十里再一服即日見效博濟方

治熱毒下血或因食物發動用梔子仁三十枚槌碎水二升煎至一升去滓服證類本草

治便血下血以烏梅三兩燒灰存性爲末醋糊丸桐子大空心米飲下七十丸 本草集要

治便血取栢葉焙乾爲末與黃連末同煎汁服之亦治男子婦人小兒大腸下黑血茶色或膿如靛色所謂蟲痢者治之有殊效 經驗方

治便血及五痔脫肛等症取槐樹木耳爲末米飲調服方寸匕 廣利方

治便血用槐花荊芥等分爲末酒調下二錢匕 梅師方

治九孔出血搗荊葉汁酒服二合 一本作荊芥 千金方

治下血日夜七八十行用黃連黃栢各半兩二味㕮

咀淳醋三升煮取一升半再服 聖惠方

治下血用白芷五倍子等分爲末粥丸桐子大每服五十丸米飲下 衛生簡易方 ○又方用百藥煎一兩分五錢燒灰共爲末糊丸桐子大每服六十丸空心米飲下 千金方

治糞後下血不止以艾葉爲末以生姜汁和服

治糞前有血面色黄用石榴皮焙乾爲末煎茄根湯調一錢匕 証類本草

治卒下血不止用龍膽草半斤水五升煎取二升分作五服 外臺秘要

治卒下血煑槐白皮汁服之○又方用赤小豆搗碎以水調絞汁飲之

痔漏門 附脱肛

治痔瘡用鬱金白芨爲末令患人側卧以塩湯净洗拭乾用新水和蜜調藥敷在谷道四圍好肉上留痔頭在外以紙盖藥仍用筆蘸温水塗紙常潤澤却用玉屑施用

治痔瘡不問遠年近日痔漏若三十年只用三服五年者一服除根用黑牽牛蓬莪各一两半當歸五錢右爲細末每服三錢空心好酒調服忌煎爆熱物五日見效

治痔瘡疼痛不能忍者用胡黄連爲末鵞膽調搽效

治痔瘡疼痛用孩兒茶麝香二味爲末唾津調搽良
安老懷幼方

治痔瘡用河邊水潭出柳根紅鬚煎湯洗極妙惟症奇方
○又方用蜣蜋不以多少爲末先用白礬水洗淨
以末傅之備急方○又方用蚕繭內入男子指甲
以滿爲度外面以童子髮纏裹燒灰存性蜜調傅
之○又方用熊膽一分片腦半分蝸牛大者一箇
去殼研爛三味共研成膏塗患處立效忌酒及動
風之物經云腸澼爲痔皆因素蘊熱毒或過食燒
炙生酒肥膩久坐濕地耽着情慾久忍大便遂使

陰陽不和關格壅塞風熱下冲乃成五痔久而不治則成漏矣切不可用毒刀線割劚

療痔神方用橡子粉糯米粉各一升炒黄以滚水調作顆飯上蒸熟空心喫之四五次效

治鼠妳痔用牛角䚡燒作灰末空心酒服方寸匕

治痔發痛如蟲囓兎絲子熬令黄黑搗末和雞子黄塗之亦治谷道中赤痛 肘後方

治痔發疼痛用肥大棗一枚剥去皮取水銀於掌中以唾研令極熟傅棗瓤入下部 外臺秘要

治痔七月七日採槐子熟搗絞汁盛銅器中於宅中

高門上縣二十日以上成膏取下以捏似鼠糞如棗核入谷道中日三易○又方以木鼈子三枚去皮杵碎砂盆內研如泥以百沸湯一大椀以上入盆器內坐上薰之至通手即洗一日不過三二次○又方用藥次第若痔頭收斂即可服十宣散以生氣血安老懷幼方

熨痔法痔頭出或痛不可忍者用枳殼灰火中煨熱微熨盡七枚立定終日熨之必效方

治痔谷道痛用杏仁搗碎煎湯乘熱燻洗或杵膏傅之千金方

治痔有頭如雞冠者用黄連末傅之即瘥更加赤小豆末尤良 斗門方

治野雞痔取槐柳枝煎湯洗痔上便以艾灸七壯 經驗方

治痔有蟲咬谷道作痒或下膿血多取槐白皮濃煎汁溫入木盆患人坐漬薰之令谷道味氣得入良久大便當蟲出不過一二度即愈或用末綿裹入下部 証類本草

食治老人痔常下血身體壯熱不多食用蒼耳子五合熟水二升煮取一升半汁以粳米四合淘右以

前件煮作粥空心食之日可常服亦可煎服極效
破氣明目

食治老人五痔泄血不絕四肢衰弱不能下食用杏仁二兩去皮尖細研以水浸之淘淨粳米四合右以杏仁汁相和煮熟作粥飲空心食之日每一服效

食治老人五痔血下不瘥肛門腫痛漸瘦用鮎魚一斤葱白半把右以白水煮令熟空心以蒜醋五味漸漸食之常作尤佳

治五痔脫肛用死蛇一條掘地作坑内燒蛇氣冲上

以有孔板覆坑口上坐之蟲當出瘥

治五種痔用山豆根水研服肘後方

治五痔不問久新搗枳實為末煉蜜丸桐子大每服二十丸空心米飲下○又方用穿山甲一兩酥炙肉豆蔻三枚麪裹煨熟為末米飲調二錢服如膿血甚者加蝟皮一兩燒為末入前服

治痔下血搗桃葉爛泥入瓶以熱酒或熱水攪和瓶底以微火圍之令氣上患痔對瓶口坐燻葛氏方

治凡血痔不瘥亦可炙蝟皮焦為末米飲調方寸匕日一二服醫林集要方

治風血流滯下成腸風痔疾用鹿角一兩燒令紅冷研芸薹五錢微炒右爲末醋煑糊丸桐子大每服十五丸米飲下酒亦得空心食前服　安老懷幼方

治腸風痔疾用枳殼黄芪各半斤為末糊丸桐子大每服二十丸空心米飲下　本草集要

治腸痔大便下血用葱白三五斤煑湯盛盆中令患者坐於内浸之良久立瘥　奇效单方

治腸痔大便下血痒痛如蟲咬掘地作坑以火燒赤先搗下茱萸二升填入坑内即用熱酒一二升潑入坑浸之

治患腸痔大便常有血食鯽魚羹及隨意任作飽食即愈外臺秘要

治腸痔每大便帶血水服蒲黃方寸匕日三服肘後方

○又方取槐樹上木耳為末米飲服方寸匕日三服三五次甚效

治痔瘡漏瘡用青塩四兩白礬二兩用豬尿胞一箇將塩礬二味研末入胞內陰乾再研細末每服五錢空心溫湯調服聖散子方

○又方取蚕退蛾子紙燒灰研末以酒調服備急方

治大腸痔漏并脫肛以虎脛骨兩節酥二兩炙令赤

擣蒸餅丸如桐子大每服清晨溫酒下二十丸隔夜先和大腸後方服此藥勝金方

治痔漏用狸骨炙黃為末和麝香雄黃為丸服之甚效○又方用槐花荆芥等分為末以水煎服作丸亦可儒門事親方

治內漏用槐白皮擣成膏自捏尖樣綿裹入下部得效肘後方

治痔漏下血痒痛用槐花炒枳殼去瓤為末醋糊丸桐子大每二十丸食前米飲下十服效

治痔漏下血不止用紫皮獨蒜十頭大椒六十粒豆

豉四兩右搗爲泥丸如彈子大每服一丸空心細嚼塩湯下日三服攝生衆妙方

治鼠漏用蛇虮所吞鼠燒灰研細末以米飲調方寸匕日再不過三服此大驗但難遇耳並傅瘡中亦佳千金方

潤腸丸以防肛門急燥欲大便出無澀痛而已大黄火煨枳殻當歸等分為末煉蜜丸桐子大每服二三十丸白湯下

治痔瘡白石脂煅龍骨煅白芷黄丹為末摻瘡上〇又方黄連欝金右爲末用新水和蜜調傅痔頭若

得片腦末傅之尤佳

治肛門主肺熱即肛塞腫緒生瘡用蜜一升猪膽一枚相合微火煎令可丸長三寸作挺塗油入下部卧令後重須臾通泄

治脫肛搗白礬煎沸湯待溫淋洗拭乾以伏龍肝研極細末散熯鞋底上慢慢將肛托上經驗方○又方取浮萍草搗末乾搽摻肛即收救民易方○又方擇五倍子搥碎每用三錢水煎洗以外托入衛生易簡方○又方用木賊燒灰研細末摻肛門上按入即愈衛生易簡方○又方用胡荽切一升燒以煙

燻肛即入（子母秘錄）○又方用貫仲蘆粟根右剉煎湯洗就上（醫經大旨）○又方燒蝸牛灰以猪脂調和傅之立效（奇效單方）○又方以狗懸後二足控涎傅肛上即收（扶壽精方）

治脫肛並脫腸出數寸不能上者蜂蜜一合生姜汁一合右二味對停和合用筆蘸刷腸上即入

治脫肛不收用五倍子三錢白礬一塊水煎溫洗五七次以芭蕉葉或荷葉托上是其驗（濟生便宜方）○又方採大艾葉濃煎汁浸之良久再以芭蕉葉托上甚效（惟症奇方）○又方用五倍子為末每用

三錢入白礬一塊水二碗煎洗

治痔漏方用蒼耳草一大束三伏內擇極熱天晒蒼耳草極熱坐于上須臾汗出即驗○又方用松香一味研細將漏瘡用槐根白皮熬洗淨將藥傅上○又方用無花果葉各一大把燒入桶子內上坐薰之○又方用栢木鋸末三錢用銅鍋內炒黑色攤于新瓦上用雞子一箇放于鍋內炒黑色攤于栢末上用白礬三錢飛過為末攤于雞子上用絹帛攤貼先用茸草槐白皮煎湯洗過貼之三日神效　涇陽醫士王玎方

脚氣門

治脚氣衝心用檳榔一枚雞心大者爲末以童便生姜汁調只作一服廣利方○又方用黑附子一枚去皮剜生用搗爲散以生姜汁調如膏塗傳腫上如久藥乾再調塗腫消爲度○又方用白礬三兩以水一斗五升煎三五沸浸洗脚千金方○又方用檳榔末三匕葱白一握童便二升浸葱熟去葱入藥攪匀溫服瘥○又方用半夏生姜水煎汁溫服

治脚轉筋疼攣急取松節二兩剉如米粒乳香一錢

於銀石器內炒焦留一分性出火毒研細末每服一錢至二錢木瓜酒煎熱調服應是筋病皆治之

治脚軟用商陸根細切如小豆大煑熟入菉豆同爛煑為飯每日煑服以瘥為度最效

治脚膝筋急痛用酒煑木瓜爛研膏褁痛處冷即易日夜三五度熱褁便瘥

治脚氣用杉木或節劈碎以水煑汁浸洗脚甚效備急方

治脚氣疼痛取槐柳楮桑桃五件枝煎湯洗脚能消腫佇痛先飲酒三盃○又方用水紅花煑汁浸之

○又方以塩每夜塗搽痛處或至足甲醃少時用熱湯泡洗甚效○又方用蘿蔔前湯洗之○又方取楊柳花絮鋪在韈內穿之尤佳

食治老人脚氣衝逆身體脚腫大小便秘澁不通氣息喘急飲食不下用郁李仁二兩研細以水瀘取汁薏苡仁四兩淘净取四合研破右相和煮飲空心食之一二服極驗

食治老人脚氣逆心悶亂煩燥心神狂誤用鯉魚一斤去刺取肉蓴菜四兩粳米三合研切葱白一握相和煮臛下五味椒姜調和空心食之常服亦治

水氣

食治老人脚氣煩悶或吐逆不下食痺弱用麻子一升炒研水濾取汁粳米四合淨淘右以麻子汁煑粥空心食之日一服尤益亦治冷氣

食治老人脚氣煩痺緩弱不隨行履不能用猪腎一對去膜切細粳米四合淘葱白半握和煑作粥下五味椒姜空心食之日一服最驗 安老方

治脚氣用連珠甘遂一兩木鱉子去殼一雄一雌各一箇好者為末用豶猪腰子二箇劈開以藥末一錢摻勻紙裹數層慢火煨熟至五更初細嚼米飲

湯下左患用左腰子右患用右腰子○又方用鷺鷥藤蘇方木等分㕮咀入定粉少許每一兩以水五盞煎沸先薰候通手即洗奇效良方

治脚氣非冷非熱老弱人脹滿者用檳榔為末茶飲或豆豉汁調服

治脚氣毒攻手足用吳茱萸六升木瓜三枚水一斗煎三升分二服或吐或汗即愈

治一切寒濕脚氣腿膝疼痛行步無力用葫蘆芭酒浸一宿焙乾破故紙炒香各四兩為末以大木瓜一枚切頂去穰置藥在內以滿復以頂蓋之用竹

盦盦定蒸熟爛研用餘藥和丸桐子大每服五十丸空心溫酒下

治脚氣衝上攻悶亂不識人用白檳榔十二枚爲末作二服空心童便調服日再服 廣利方

治脚氣十二痺取松葉三十斤細剉水二石煮取二斗五升用黃米三斗如常造酒法將松汁投入和勻釀封七日成熟濾清徐徐任意飲之甚效 千金方

治風毒脚氣若脛已滿捻之沒指用牽牛末蜜丸如小豆大每服五丸生姜湯下取小便利

治風軟脚用丹參剉浸酒服可逐奔馬

治脚氣風寒濕痺四肢攣急脚腫不能踐地用紫蘇子二兩擣末水二升煎取汁煮粳米二合作粥和葱豉姜食之 聖惠方

治腎風壅積腰膝沉重用威靈仙擣末蜜丸桐子大初服溫酒八十丸平明微利惡物如清膿膠即是風毒積滞也如未利夜再服一百丸取利後以粥食補陸續常服 經驗方

治久患風虛麻痛行步艱難正宜服之用川烏炮去皮一兩五靈脂二兩右為末酒糊丸桐子大每服十丸空心溫酒下加至五十丸 衛生寶鑑方

治脚酸軟不能站地用杜仲去皮酥炙去絲為末每服三錢空心好酒下○又方用龜板酥炙為末每服三錢空心好酒下涇陽醫士王玎方

治脚氣及風藥必用蚯蚓為使取效

治嶺南脚氣從膝至足頸腫連骨疼痛取蓖麻葉切蒸薄裹三二易即消

治脚氣浮腫滿大氣喘急用郁李仁十二分擣水研汁薏苡仁三合以汁煮米粥空心食之

治脚氣頭面忽浮腫心腹滿小便澁取馬齒莧和少粳米醬汁煮食之食醫心鏡

卷之五終

易州醫官鄭廷臣檢閱
涿州醫正王玎校正

傳信尤易方卷之六

癰疽門 附疔瘡

治發背疔疽歌曰發背疔疽識者稀醋磨好墨四邊圍生姜猪胆同塗上天明恰似鬼神移

治發背及一切疔瘡腫毒不問已成未成但焮痛者取槐花四兩微炒黄乘熱入酒二盞煎十餘沸去滓熱服未成者一二服即消已成者二三服即愈

治發背用楊樹上蛀蟲研爛以無灰白酒吃下一條其勢便定吃三條可痊○又方用蝸牛二百箇活者以一升淨瓶入蝸牛用新汲水一盞浸瓶中封

繫自晚至明取出蝸牛放之其水入涎将蛤粉不拘多少旋調傅以雞翎掃之瘡上日可十餘度其熱止瘡便愈勝金方

治發背瘡用牡狗白糞半升覺欲作腫時以煖水一升絞取汁分再服仍以滓傅上每日再爲之瘥肘後方

治發背欲死者用伏龍肝末以酒調厚傅其瘡上如乾即易不日平復千金方○又方用雞腸草擣傅良○又方用白歛末傅之良○又方取芭蕉根擣爛傅之○又方燒人糞爲灰研細醋和傅之如[illegible]

則易神效 醫林集要

治發背或惡瘡用冬瓜一切半截蓋合瘡上熱毒氣熏蒸瓜爛再易待熱退自然收斂

治發背及諸瘡未成瘡頭赤腫壯熱以濕紙搨上先乾處是熱氣衝上即是瘡頭以艾灸之如先痛灸至不痛如不痛灸至痛為止 兵部集

治發背初得毒腫赤焮痛浮萍草爛搗和雞子清貼之良 聖惠方

治發背初輕者取活蝦蟆一箇放於瘡上頓飯時取下其蝦蟆必昏憒置於水中以救其命又易一箇

如前放瘡上稍時取下如前法易換三五次其瘡性即敗累驗極效

治發背癰疽疔腫瘡癤收隔年陳米粉子炒黑褐色搗羅細末以隔年陳醋調粘糊黑色如漆以紙攤貼瘡腫赤處周圍中留孔竅出毒氣或腐潰膿出三日一易極效驗

治發背癰疽不問何處及乳癰等瘡取忍冬藤五兩搥碎生甘草一兩入砂鍋内以水二碗慢火煎一碗入好酒一大碗再煎數沸去滓作三次溫服一日一夜服盡如患重者一日一夜再服二劑候大

勝通則藥力到若無鮮乾者亦可忍冬葉研爛入白礬許調塗瘡周圍中留一孔洩其毒氣亦妙

治發背癰疽腫毒用蝦蟆肉搗敷妙

治石癰不作膿者以商陸根搗傅自消　怪症奇方

治腦疽發背及癰疽熱癤瘡等用臘月兎腦頭細剉入瓶內密封惟人愈佳塗帛上厚封之熱痛傅之如冰頻換瘥　勝金方

治諸癰疽發背及乳癰用釜下土研末以雞子中黃和塗之佳　千金方

治癰疽發背乳癰用茱萸一升水三升煮三沸去滓

治癰腫發背取生菖蒲搗貼着瘡乾搗末以水調塗

洗痒瘡 梅師方

經驗方

治癰疽發背惡瘡腫毒初生及毒蛇風犬所咬用大蒜切片子如錢厚安腫上以艾灸之蒜熱更換新者初灸覺痛灸至不痛即止初灸不痛灸至極痛乃止最效

治癰疽發背乳癰初起焮腫赤痛搗黃栢末雞子白和塗之 梅師方

治搭手瘡細葉柳樹刮去外粗皮取內青皮并馬蘭

頭草及向陽冬青頭共擣爛敷之留其瘡頭不敷用夏布縛之使出氣少頃痛即止

治惡惟瘡相類人面瘡者拭酒則赤拭食則食食之肉脹不食肉痺傳諸藥不效惟貝母末濃煎汁灌於瘡口内亦傳之數日而瘥唐詩記事

治癰疽及腸癰托裏消毒固臓腑止疼痛用黄蠟好者二兩明礬三兩擣末先將黄蠟溶開離火待少温入礬末和匀衆手急丸桐子大每服二三十丸食前酒下日二服尤妙

治一切癰疽無名腫毒醫無所識者治效如神用黒

牽牛一合白牽牛一合用布包搥碎好醋一碗煎至八分露一宿次日五更重溫服之 萬應方

治癰疽瘡腫瘰癧結核取山茨菰根醋磨傳之或採葉搗為膏入蜜厚傳患上清血出效 外科集驗

治癰疽惡瘡出膿血不止者取地骨皮不拘多少淨洗刮去粗皮再刮取白皮瓤煎湯淋洗膿血去淨拭乾以白皮瓤貼之立效 梅師方

治癰疽痔漏惡瘡及小兒丹毒用蠐螬傳上 子母秘錄

治癰疽有膿令潰以人乳和麪傳上膿血盡出不用近手

治癰疽而渴用黄耆六兩蜜炙甘草一兩炙右剉以
酒煎服血虚者加當歸生地黄
治癰疽未潰栝蔞根赤小豆等分為末醋調塗楊文尉方
治癰腫用伏龍肝末以蒜和搗為泥塗於布上貼之
如乾再易外臺秘要
治大小人癰腫用生豬腦子傅紙上貼之如乾則易
日三四度千金方
治癰疽一切腫未成膿拔毒牡蠣白者為細末水調
塗乾更瘥不愈再塗
治癰毒攻腫旁有瘜肉突出者烏頭五枚以苦酒三

升漬三日洗之日夜三四度古今録驗

治一切癰腫未破疼痛令内消以生地黄杵如泥隨腫大小攤於布上摻木香末於中再攤地黄一層貼於腫上三五度瘥惠養集

治石癰堅硬如石不潰不膿取生商陸搗爛塗傅如乾者為末以醋調傅日易取軟一切熱毒腫同塩醋搗稠粘塗之即消本草集要

攔風膏号鐵箍散用大黄一兩五倍子三錢右為末用陳醋調塗四圍中留孔以鵝子清調亦可濟生便宜方

追毒錠子用明礬五錢半信石一錢右爲末置[illegible]鍋内以炭火煅令煙盡取出研為細末以飯撚作錠子凡遇惡瘡毒每用三稜針刺破内一錠子于紙糊口一日一換第二次以硫黄末為衣第三次以百草霜為衣

洗滌方用明礬雄黄右為末熟水調洗後用收斂藥五倍子黄栢各燒存性為末摻瘡口上外以膏藥自然生肌收斂 惠菴集

附骨癰蟯蜋七枚和大麥爛搗貼之 斗門方

治肺癰吐膿用薏苡米為末糯米飲調下或作粥食

之或以水煎服當下膿血愈外科集驗

治附骨疽及魚眼瘡用猪頭骨燒煙薰之效千金方

治大赫瘡血患急宜防毒氣入心腹搗枸杞葉並取汁飲之立瘥肘後方

治疔腫甚者用附子末醋調塗之即乾再塗聖惠方

治疔腫垂死取菊花葉一握搗絞汁一盞入口即活此神驗冬用其根肘後方

治疔腫取磁石搗為粉醋和貼之立拔毒出愈外臺秘要

○又方救急疔腫用斑猫二枚針破疔頭以猫末摻入瘡口即除根外臺秘要○又方凡遇初瘡取

黑雄猪胆調雄黄末一錢敷瘡上以蒼耳草根搗汁調吃三五次便效 惠菴集

治魚臍疔瘡用絲瓜葉連鬚葱韭菜同入石臼内搗爛如泥以酒和服柤貼敷腋下如患毒在左手貼左腋下在右貼右腋下在左右足貼左右胯如在中貼心臍並用布帛包住候向下紅絲處皆白則可為安如有潮熱亦用此法 備急方

治疔瘡忌見麻勃見之即死用胡麻燭燼針砂各等分為末以醋和傅之○又方石灰三分馬齒莧菜二分右二味搗以雞子白和傅之 千金方 ○又方

取鼠新窒土以童便和傅之○又方取鐵衣末以人乳汁和傅之○又方以人屎尖傅瘡上瘥

治一切疔毒諸瘡腫毒取蒺藜一升作灰以釅醋和貼瘡頂上如破塗之佳 斗門方

治發背疼痛不可忍用蕎麪葱白蜜擣勻貼于瘡上其疼立止○又方用白芨為末無根水澄沉底者塗瘡上立消○又方治疔瘡用大蜘蛛一箇放在瘡上其蜘蛛自咂其毒如疔甚者用三五箇亦可食毒將蜘蛛放于水中亦捘其毒不傷蜘蛛命 涇陽醫士王玎方

○又方用馬蟥一箇放竹筒内頭朝外置於瘡頂上咂之待馬蟥腹滿拍近馬蟥肉處取蟥下放於水中庶不傷蟥命瘡勢盛者不過三四枚馬蟥大愈

諸瘻門

治蜂瘻燒人屎蛇脫灰研末以臘月猪脂調傅之

治蟻瘻孔容針亦有三四孔者用蝟皮肝心燒灰為末酒服一錢匕日再服

治蟯蜋瘻取乾牛屎燒灰為末以臘月猪脂和傅之

千金方

治蛇瘻以蛇脫皮燒灰以臘猪脂和傅之

治瘻作瘡孔用露蜂房燒為末以臘月猪脂和傅孔中

治蝎瘻五六孔皆相通搗茅根取汁著孔中

治鼠瘻瘡先以塩湯洗凈燒蜣蜋灰醋和傳之亦治惡瘡即效○又方死蜣蜋燒末苦酒和傳之數過即愈以塩湯洗之劉涓子方○又方以新鼠屎一百粒收置密器中五六十日杵碎即傳瘡孔古今録驗○又方用死鼠一隻亂髮如雞子大一團二味以臘月猪脂煎之令消盡成膏分作二分一分稍稍塗瘡一分稍稍酒服之鼠子當瘡中出之瘥○又方用乾牛糞乾人屎各等分為末先用綿幕瘡上著屎末小蟲聞屎氣即出急舉綿去之更換綿及屎末再著其上如前蟲盡乃止○又方以死蛇

和臘月猪脂合燒灰爲末塞瘡孔中 千金方

治鼠瘻腫核未成膿者右以柏葉傅瘡上炒鹽以布包於葉上熨之令熱氣下即消 惠菴集

治痔瘻速效 盖其用藥簡要有次序製造有法無痛苦而收效甚速名號玉屑明礬四兩通明生砒二錢半硃砂一錢另研右各研末先將砒置砂鍋內以礬末盖上令火煆令煙斷其砒盡隨煙去止是借砒氣在礬中取出爲細末先看痔瘡大小多寡將礬末抄在掌心入硃砂末少許以津液調勻得所用篦蘸塗痔頭上遍四圍有白金膏圍住每

早上藥一次午一次晚一次至夜看痔頭顏色欲其轉焦黑乃洗去藥自有黄水漾出如泉常夜再不可上藥且令黄水出盡疾病從此去矣切勿他疑次日看痔頭消縮一半依舊再上藥三次有小痛不防如換藥以磁盆貯新水温熱放在痔傍以筆輕手刷洗舊藥却上新藥仍用白金膏護之如老弱人用藥要全無痛疼只增硃砂末子内自然力慢痛甚亦不宜佇藥但可少遍數直候痔瘡焦枯方可佇也次用荆芥煎服時洗之惠菴集

治一切痔瘻凍成松脂末填瘡孔令滿日三四度用

之外臺秘要

治痔瘻瘡灸狸骨和麝香雄黄丸亞粟米大空心米飲下二十丸或研以唾津調傅惠之養集

治痔瘻下血用猪腸一條洗淨控乾將槐花炒為末裝填腸滿兩頭扎定入石器内以米醋煮爛熟搗如泥為丸彈子大每一丸細嚼當歸酒下奇效良方

瘰癧門

治瘰癧取白殭蚕爲散水服五分方寸匕服至三十日瘥外臺秘要○又方用牡蠣用炭煆通赤取於濕地上用紙襯出火毒一宿取四兩玄參三兩都擣羅為末以麪糊為丸如桐子大早晚食後臨卧各三十丸酒服藥將盡瘰亦除根經驗方○又方以臘月猫屎用新瓦二片合在内外用鹽泥封固燒成灰以少油調塗患處肘後方○又方取胡桃瓤燒令黑焦斷煙為膏和松脂研傅聖惠方○又方取鉛三兩於鐵器中炒之久當有脚如黑灰取

此灰和塗瘰上仍以舊帛貼之數去帛拭去惡汁又貼如此半月許亦不痛不破不作瘡內消自瘥○又方取馬齒莧陰乾燒灰先以煖米泔洗淋拭乾和豬脂調傅效千金方○又方用信州砒霜細研滴濃墨汁丸如桐子大於銚子炒令乾後用竹筒盛之要用於所患處多破或針將藥半丸敲碎貼之以自然蝕落為度再易○又方取水蓼子炒為末水薄酒調二三錢服服久則效

治大人小兒瘰癧內消方斑猫一兩去翅足用糯米一升同斑猫炒焦黃去米不用乾薄荷四兩研令

均以烏雞子清丸如菉豆大空心茶下一丸加至五丸每日減一丸減至一丸日漸增服之

治瘰癧或破或不破以致下胸前者皆用之取何首烏如雞卵大洗浄生嚼常服再取葉擣覆瘡上數服即瘥止

治瘰癧發脛項破甚效如神牡蠣四兩甘草二兩為末每服一大錢食後臘茶同點日二服

治瘰癧瘡多年不瘥用自死蝙蝠一箇貓頭一箇以二物俱撒上黒豆同燒其骨化碎為細末濕即乾摻如乾以油調敷○又方用烏雞子七箇每箇開

一孔內入斑猫七箇去頭足翅以飯上蒸熟去猫殼服盡神效〇又方取狼糞燒灰研末傅患處

治瘰癧久不瘥用斑猫一枚去翅足微炙以漿水一盞空心服之蜜水下不過七枚瘥廣利方

治瘰癧經年累月不瘥五月五日收胡麻葉七月七日收花揉作炷炙百壯即效肘後方

治瘰癧經年久不瘥生玄參搗泥乾為末傅上廣利方

治頷下瘰癧如梅李宜速消之海藻一斤酒三升漬數日稍稍飲之肘後方

治老鼠瘡取新椎鼠糞一百粒置瓷器中五六日杵

成膏傅之

諸瘡門

治裹外臁瘡用牛蹄甲拌香油燒灰存性爲末傅之 備急方

治臁瘡取燒過人頂骨灰二錢龍骨三錢金絲硫黃一錢右一處爲末用冬蘿蔔芽陰乾煎水洗之瘡濕以末摻之瘡乾煎水洗之 松篁岡方 ○又方用黃連一兩輕粉一錢右爲末用猪膽一枚刺九孔令膽出汁滴藥内和匀用竹篦挑傅瘡上以紙貼之用無糨青絹重重縶拴十日不可動却解之瘡痂隨紙脫落○又方將新鼠剥下皮以肉裹毛外

貼敷瘡上外以帛束之穿靴韈亦不為害待旬日瘡好一圚鼠皮跳起一圚用手扯去一圚日日瘡痊皮盡甚妙經驗妙方○又方用黃蠟煉攤冬青葉上貼縛定日遇更換一葉至七日換七葉愈備急方○又方先用洗法次將三黃湯加大黃輕粉同為末以桐油調勻填滿瘡口外以箬葉包縛至七日解開看敗肉去盡為度復用生肌散或隔紙膏歛口藥洗滌法隨症用之其效如神濟生便宜方○又方用川大黃一兩右為末用桐油調作膏以油紙貼瘡上其油紙要一面刺孔夾藥在中○又

方用蠟茶二兩右水濃煎濾去滓入香油二兩煎沸用冬青葉入内煎乾將葉貼瘡上

治諸瘡中風者用生蜀椒一升取少麪合溲裹椒勿令漏氣分作兩褁於塘灰火中燒熟及熱出之刺頭作孔當瘡上罯著使椒氣射入瘡中冷則易之須臾瘡中出水及遍體汗出即瘥圖經本草

治諸瘡癰不散腫硬用白藥子鮮者杵傅乾者為末醋調或雞清調傅如乾以雞翎蘸水掃之二三次即消本草集要

治諸瘡能生肌肉止痛收歛用地骨皮為末先口噙

溫漿水洗瘡淨以末敷瘡上妙衛生寶鑑

治諸瘡口不收斂燒鼠糞研細封瘡口漸合○又方

燒鼠皮研末傅瘡孔中即收斂千金方

治諸腫瘡搗苦苣莖取白汁塗之奇效單方

治諸腫失治有膿燒蛇蜕水和封腫上即蟲出千金方

治一切諸腫用紅花搗熟爛水調絞汁服之不過三

服便瘥搗膏傅之亦效外臺秘要

治惡熱腫用山豆根水磨濃汁塗如乾再塗經驗方

治一切熱毒腫痛取蔓菁爛搗傅之即消日易之兵部

手集

治肺風熱毒瘡如大風瘡取鮮淨桑葉熟蒸一宿日乾為末水調二錢七服經驗方

治瘡腫用生椒末麯釜下土末加之以米醋和傅之外臺秘要

治卒腫滿身面皆洪大取兎絲子一升酒五升漬二三宿每服一升日三服肘後方

治卒腫滿身面紅用皂角刺炙令黃剉三升酒一斗漬合器煑令沸服一升日三服肘後方

治大人小兒卒得月蝕瘡於月望夕取兎屎及納蝦蟇腹中合燒為灰末以傅瘡上肘後方

治卒中瘑瘡此瘡常對生兩脚處杵桃葉以酒和傳之葛氏方

治卒得惡瘡不能識者取桃皮作屑納瘡中孫真人方

治一切惡瘡及沙風水弩惡疽並皆治之用蜣蜋十枚端午日收乾杵末油調傳之千金方

治大人忽得惡瘡未辯識者許蜣蜋杵絞取汁傳其瘡上千金方

治惡瘡十年不瘥似癩者燒全蛇蜕一條為末猪脂和傳之古今錄驗

治惡毒之瘡五色無常燒鹿角合猪脂傳之千金方

治瘡中努肉以烏梅肉杵爛蜜和捏作餅子如錢大厚貼瘡瘥爲度聖惠方

治瘡口久不合亂髮露蜂房蛇蜕皮各燒灰存性取一錢匕酒調服神效蘇學士方

治因瘡中風腰脊反張牙關口噤四肢强直鼠一頭和尾燒末以臘月猪脂傅之古今錄驗

治蠷螋瘡取槐白皮細切醋浸半日洗之及諸惡瘡千金翼

治剥馬被骨刺傷毒欲死以月水傅瘡口上立效蘇學士方

治馬血入瘡中以婦人月經血塗之 蘇學士方

治馬汗入瘡腫痛漸甚宜急療之遲則毒深難理以生烏頭末傅瘡口良久有黄水出立愈 靈苑方

治遍身風痒生瘡疥取蒺藜子苗煎湯洗之立瘥 千金翼方

治[illegible]瘡燒蝦蟆灰以醋調傅一日三五度瘥 醫林集要

治馬鞍瘡鹿角燒灰研末醋和塗之○又方用狗牙燒灰以醋和傅之 千金方

治天行時病發斑瘡頭面及身須臾周匝如火燒不治數日則死用升麻以水濃煎以綿蘸汁溲洗甚

效本草集要

治腿彎處爛瘡以蜂房燒存性為末乾則油調搽濕則乾末搽上甚效古愚自效方

治瘊子取蜘蛛絲纏於根下自落○又方用雞肫黄擦之自落醫林集要○又方用地膚子白礬等分為末煎湯洗數次落○又方以天南星為末釅醋調塗數次自落惠菴集

治腮腫用赤小豆為末以醋調傅立消救民易方

瘿氣門 附瘤贅

治瘿氣結核腫硬用昆布一兩洗去鹹爲散以一錢綿裹納於好醋中浸過含津嚥藥味盡再含之久則自消散矣聖惠方〇又方用黄藥子一斤净洗酒一斗浸之每日晚早晨常服一盞忌一切毒物但以線圍瘿項知其效斗門方〇又方用昆布海藻沉香木香各一錢末以酒一壺未滿將藥末入內坐於鍋內沸水中煮一炷香盡時取收徐徐日夜溫服一二盞任服之以瘿消為止〇又方用黄柏末一兩海藻末五錢和勻每日三五次以一匙

放手掌中徐徐以舌舐含汁嚥之驗丹溪方

治瘻氣用羊靨一具去脂少煎熟含汁津盡味去令次日再含新者易七日瘥

治瘻氣結瘤硬塊用通草二兩杏仁去皮尖麸炒牛蒡子炒射干海藻各一兩為細末煉蜜丸如彈子大每日含一丸徐徐津化嚥之普濟良方

治頷下結核漸大成瘻用昆布海藻等分為末蜜丸如杏核大稍含嚥汁外臺秘要○又方海藻一斤洗去鹹酒浸飲之肘後方○又方用鉛注水常服效自驗方出贛府群玉

治瘤癭用芫花根淨洗帶濕不犯鐵器於木石臼中搗絞取汁以線一條浸半日或一宿以線繫瘤根經宿自落如未落再换一二次自落後以龍骨訶子末傅瘡口即合如無大根只用芫花泡濃以浸線千金月令

治癭瘤疣目取蜘蛛網絲際根繫之一宿自落或生身面根粗繫三五日落譚氏方

治皮膚項面生瘡瘤大者如拳小者如栗或硬或軟不痒不痛不可輙用針灸只用生南星大者一枚研爛入好醋五七滴為膏如無生者以乾者為末

醋調如膏先將小針刺痛處令氣透却以藥攤紙上相瘤大小貼之覺痒則頻貼取效○又方用銅緑研末棘刺破瘤搽在上面以膏藥盖護貼之惠菴集

大風門 附楊梅癩風

治大風癩疾肉敗眉墜身體痒痛取馬先蒿炒為末每日空心食前及晚溫酒調三錢七日三服 衛生易簡方

治大風不拘久近用真芝麻半缸入坐其中浸七日無不瘥者 救急方

治大風疾令眉鬚髮脫落取側栢葉九蒸九晒為末蜜丸桐子大日夜熟水每服四五十丸服之百日即生 千金翼

治大風惡疾雙目昏暗眉髮自落鼻梁崩倒肌膚瘡

爛此方特效用皂莢刺三斤炭火蒸炙晒乾爲末煎大黄濃湯調服二錢服數日間髮生肌潤明目亦瘥千金方

治大風身痒取蛇床子煎湯浴洗效○又方用雲母粉煅爲丸服之極驗○又方用松脂煉投冷水中二十遍搗爲末蜜丸服三兩錢即服之日三服如鼻柱斷者服至百日瘥忌塩及房室○又方用紫背浮萍晒乾二兩當歸生地黄各一兩俱酒浸一宿晒乾爲末每服空心酒調一錢服○又方用白花蛇一條蒸米一斗缸底先入酒麴次將蛇以絹

袋盛之頓於𪎊上然後以蒸米和匀頓於蛇上用一紙封缸口候三七日開取將蛇去皮骨日乾為末每服酒一盞服蛇末少許仍將酒脚並糟做餅食之

治癘風用雄猪肚一箇去脂以苦參頭末二兩摻肚内線縫合隔夜煮軟取出洗去藥末先日不食飯次將肚頓服新汲水下盡再作食

治癩用地龍去土蟬脱白殭蚕全蝎各九枚同為末只作一服熱酒調浴室中汗出粘臭氣為效

治癩眉毛脱落用半夏生者羊糞燒焦等分為末以

生姜汁調塗眉上即生

治白癩取馬鞭草爲末每服食前以荊芥薄荷湯調下一錢七

治飲酒醉遍身痒如風瘡抓至血出而痛用蟬蛻去頭足土薄荷葉各等分爲末每服二錢食遠溫酒調服

治風毒發瘡如大風瘡採生桑葉洗蒸熟晒乾爲末每服二錢白湯調日服三服已上惠菴集

治楊梅瘡用硃砂二錢研細末用紙條六寸長每紙條上用硃砂末三分撚成紙撚雙迴浸油內用針

插于泥上燃灯法薰之頭頂手帕口含冷水一日二條三日薰盡大效忌牛肉凉水王玎方

治楊梅瘡捷效方用阿芙蓉七釐硃砂七分右為末搗飯丸桐子大作一服半空心姜湯下濟生便宜方

治楊梅瘡年久梅毒不愈者用五倍子燒灰白礬枯各一兩膽礬一錢右為末好醋調搽立效張真人萬應方

治楊梅瘡敷藥用大楓子輕粉二味為末塗瘡止痛立瘥嶺南衛生方

治紫癜白癜風取羊蹄根去心和肥皂爛搗丸如彈子大以一丸布裹搽一丸浴洗三四次可愈○又

方取榆白皮燒灰存性爲末以糟茄蘸末搽之三五次即瘥○又方用硫黄一兩醋煑一日海螵蛸三箇共爲末浴後以生姜蘸藥熟搽患處須避風少時數度即瘥 惠菴集

治紫癜風用知母以陳醋濃磨搽之塗之良○又方用蛇脫煎湯淋洗之效○又方用舶上硫黄以醋煑研開將茄蒂蘸汁頻頻搽傅之○又方用猪牙皂角燒灰爲末每服二錢酒調服

治白癜風用白蒺藜搗末每服三錢白湯調下或調湯服之 醫林集要○又方取灰藋燒灰淋取汁塗

之弃餌瘜肉除面䵟黑痣煮食殺三蟲

治諸般癜風用猪牙皂角炭火燒灰不存性每服一錢空心好酒調服 惠菴集

風瘙癮㽲門

治風㽲入腹身體舌乾燥硬用蔓菁子三兩爲末每服温酒一錢七聖惠方

治大小風㽲不止用白礬研細投熱酒中化勻以馬尾拭之立瘥衛生易簡方

治風癮㽲痒毒用楓皮或脂或楓子搥碎煎湯熱洗○又方取蒼耳葉鮮蒺藜水濃煎洗

治風癮㽲以水煮蜂房取三升入芒硝以帛染拭之即愈醫林集要○又方搗牛膝末酒調服方寸七亦主骨疽癩病及瘖癗千金方

治風瘙癮疹遍身痒搔成瘡用蚕沙苦參濃煎湯去滓熱洗避風

治風熱遍身癮疹瘙痒用牛旁子浮萍等分爲末每服二錢薄荷煎湯調下效

治風氣遍身癮疹痒痛成瘡用白殭蚕焙令黄色研末温酒調服立瘥已上惠菴集

治大人小兒癮疹瘙痒用肥豆二兩搗爛以水七升煮取二升以帛染拭之千金方

治癮疹取伏龍肝三五錢置碗中内傾熱酒一盞漬少時取去盞鼻吸飲酒立瘥

治瘖㾦最多亦治大風癩疾用苦參五斤切以好酒三斗漬三十日每飲一合三常服楊文尉方

治大小丹赤遊風腫用景天即慎火草擣汁或乾末和苦酒調傅之效衛生易簡方○又方用芒硝汁以帛蘸拭丹上效

治火丹用藍靛傅之即消○又方治五色丹遊腫急瘵慢者即死用蒲席燒灰鷄子白調傅妙

治火丹遍身赤腫及白癜風用蘿摩草擣汁傅之應手即消

治火丹遊腫流注遍身赤色入腹即死用生猪肉切

片貼赤處其肉臭惡虫鳥不食

治火丹赤腫用黃芩爲細末水調塗立止○又方梔子仁爲末鷄清調塗以翎蘸水掃之良已上惠菴集

治五色丹名遊腫若犯多致死不可輕之以牛屎傅之乾即易千金方○又方取榆白皮鷄子清調傅

治丹毒癮疹用川乳和塩煎熟以手蘸摩之即消外臺秘要

治丹毒癮疹方痒或痛用白芷細剉煎湯洗浴即瘥

○又方枳殼炒以水濃煎塗傅洗之

治火丹發赤方用蕅菌搗汁服一升未瘥再服

治風熱丹遊赤腫用括蔞末醋調傅之鮮者搗泥膏

塗上亦消

治遍身癮㿗用防風荆芥穗地骨皮甘草芎藭山梔子各三錢剉水煎服○又洗法榴枝柳枝桃枝槐枝椿枝杏枝楮枝各一把煎湯洗浴取汗避風即愈王汀方

陰瘡門 附膝瘡

治男子陰頭癰腫用鱉甲燒灰搗爲細末和鷄子白塗之極效 奇效單方

治陰頭生瘡以蜜煎甘草濃汁塗之瘥 雷公方

治男子陰腫核如升大取馬鞭草搗爛塗之○又方

治便毒取射干生姜切剉水煎空心服二三劑消之 本草集要

治男子陰瘡即下疳損爛者以黃栢汁洗拭乾以白蜜塗之 葛氏方

治陰瘡及濕痒取槐枝向北不見日者一握水二升

煮一升洗之三五遍冷復煖若涉遠恐衝風以米粉粉之即瘥（奇效方）

治丈夫陰下濕痒蒲黄末傅之三四次良（千金方）○又方用茱萸一升水三升煮三沸去滓洗瘥（千金方）

治陰生濕疱瘡用石硫黄研如粉傅瘡上日傅三度（梅師方）

治陰痒汗出嚼生大豆黄傅之○又方治陰痒生瘡嚼胡麻傅之（肘後方）

治陰中濕痒甘草水煎淋洗效

治陰中痒痛蛇床子煎湯淋洗效（古今録驗）○又方用

車前子木煎三四沸淋洗

治陰中痒甚其中有虫以猪肝入陰中良久取出有虫在肝上 備急方

治陰中生瘡劈黄栢如指條以猪胆汁塗用火炙之再塗再炙乾爲末傳瘡上極效 扶壽精方

治陰中生瘡疼痛不止取多年油包頭燒灰摻瘡痛即止瘥 斗門方

治大人小兒陰中生瘡燒人屎研末傳之效 千金方

治陰囊浮腫如斗大痛人所不能治取蔓菁根搗爛傳之立消 集療方 ○又方取荔枝核搗碎煎湯淋洗

即消日三洗經驗方

治陰瘡用桑白皮煎濃湯洗以胭脂菉豆粉同研勻傅之備急方○又方用臘茶五倍子等分膩粉少許傅之備急方

治腎臟風發瘡疥用紅川椒去目水浸半日和生杏仁研爛抹兩手掌捹外腎極效

治下部生濕瘡熱痒而痛寒熱大小便食亦減身面微腫用馬齒莧四兩搗爛入青黛一兩再研勻傅之備急方

治蛀幹瘡用黑油傘紙燒灰合地上出火氣研細傅

瘡上便結醫效 備急方

治膝瘡用貫仲不拘多少煎湯洗之妙○又方用磨刀水洗之磨石上泥傅之 外臺秘要 ○又方取羊乳塗之○又方取鮮荷葉或乾者煑汁塗之瘥 千金方 ○又方以湯溶芒硝令濃搽之愈○又方用蜀椒煎湯洗之良 衛生易簡方 ○又方研白礬煎湯浸洗○又方以蓋漆紙燒煙薰之○又方用莧菜煎湯淋洗○又方用杉木煎湯洗效○又方採莽草葉煎湯洗○又方搗無名異末水調傅○又方煎黃櫨木汁洗之最良○又方治膝瘡凍瘡犬咬並用秫醋

爛塗傳 楊氏產乳方

治玉莖生瘡或破疼痛難忍用孩兒茶爲末擦上生肌即愈 王玎方

治漆瘡用白蒺莉一兩水煎熱服取汗即愈○又方用油一碗放于鐺内煎沸令患人立其上即愈 王玎

癬疥門 附熱痱

治乾癬不瘥用天南星草烏頭各一枚生用右爲細末取羊蹄草根搗絞取汁調塗不過三上 外科集驗

治乾癬積年生痂搔之黄水出每逢陰雨即痒用斑猫半兩微炒末蜜調傅之 古今録驗

治疥癬用藜蘆爲末以生油塗傅之 出斗門方

治疥癬滿身作瘡不能治者用何首烏艾葉等分以水煎令濃於盆内洗之甚能解痛生肌肉 王氏博濟

治疥癬用松膠香研細少入輕粉令勻以油先塗疥癬貼末一日便乾頑者三二度瘥 鬼道方

治年久疥癬用川烏頭七枚生用擣碎以水三大盞煎至一大盞溫洗之去痒 古今錄驗

治癬濕痒用楮葉半斤細切擣爛傅癬上 聖惠方 ○又方燒青槐枝取瀝以塗患處

治癬瘡燒蝦蟆灰以猪脂和傅之

治癬瘡久不瘥取鮮羊蹄根絞汁用膩粉少許調和如膏塗傅三五遍即瘥 醫林集要 ○又方取露蜂房以綠礬末塡滿蜂孔用炭火燒焦乾爲末用時以綿花子油調搽效 經驗方

治癬疥不愈用蛇蛻露蜂房燒灰研末以大楓子擣

爛如泥調末搽之極效

治諸瘡癬初生或始痛痒以单方救不效嚼鹽塗之妙千金翼方

治麩豆等瘡用山豆根水研服少許千金方

治患瘡癬用山豆根搗末以臘月脂調塗瘥經驗方

治疥瘡以猪膏煎芫花塗之梅師方

治癬用白礬飛過緑礬炒藍葉等分爲末蠟猪油調貼

治熱痱瘡遍身如蚕子用不灰木棗葉爲末患處搽之即消瘥衛生易簡方 ○又方取山茨菰葉陰乾爲末

傅之○又方取棗葉煎湯浴之○又方收臈月雪貯於磁器中遇生痱時以所化水塗傅○又方取黄瓜切斷搽痱子即安○又方用蚌粉四兩菉豆粉二兩滑石一兩爲末乾搽之

治痱瘡痒痛用滑石末半兩菉豆粉四兩右研匀以綿揾撲之又方入棗葉一兩外科集驗

破傷風門 附金瘡折傷

治破傷風用杏仁研膏厚傳撚燭搓灸即愈○又方用鮮魚血入麝香少許調塗即止○又方用蝎稍七粒為末熱酒調服醫林集要○又方用孤狸二目不拘三五付晾乾收貯凡遇破傷風者將二目炭火微燒存性搗細以無灰酒送下立效松篁岡方○又方用魚膠一錢溶化封之酒服一錢○又方取路行人糞下土調傳之○又方用天南星炮防風去蘆等分為末每服二錢生姜酒調服仍以藥調貼傷處若牙關緊急角弓反張童便同酒調灌下神效

經驗方○又方用黑豆四十粒硃砂二十粒擣研細末酒半盞調下一字如口噤灌之○又方用烏蛇尾半條兩頭尖四箇全蝎四枚右爲細末另用石灰五升柴灰五升沸湯五升淋灰水澄清下藥於鍋內熬成膏子如稠患者先以漿水洗淨後塗藥在上即時藥行吐黄水一日以新水漱口方愈○又方用白芷草烏頭二味等分細剉每用半錢冷酒一盞入葱白少許同煎服之如人行十里以葱白熱粥投之汗出立愈甚者不過二服儒門事親方

治破傷風牙關口緊四肢強直用鼠一頭連尾燒灰

研末以豬脂調傅（備急方）

治破傷風浮腫用蟬蛻爲末以葱涎調傅破處即時逐去惡水立效

治破傷風欲死者用蜈蚣研爲細末揩牙吐出涎沫立瘥（奇效良方）

治金瘡中風痓欲死者取生葛根四兩切以水三升煮取一升去滓溫服分四服溫服口噤者灌下即瘥

治金瘡中風經脉傷及諸大脉皆血出血多不可止血冷則殺人用生葛根一斤剉以水九升煎取三

升分三服

治金瘡血內漏以雄黃爲末如豆大納瘡中調服五錢匕血皆化爲水以水便服之（肘後方）

治金瘡未愈而交接血出不止取與交婦人衣帶二寸炒研末水調服之（孫真人方）

治金瘡用雲母粉傅之絕妙○又方擣白芍藥末傅之良（肘後方）

治金瘡生肌補損用紫葛二兩細剉取順水流三升煎取一升半去滓食前分三溫服妙

治金瘡血出不止研麒麟竭末傅之○又方以人精

傳之妙千金方

治金瘡痛血不止白芍藥一兩炒令黄擣爲散以酒或米飲下一二錢

治金瘡痛血不止用桑白皮燒灰和馬糞塗瘡上數易之廣利方

治金瘡止血炒石灰以雞子和丸如彈子大以炭火煆赤擣末傳瘡上立瘥

治金瘡擣真紫檀末傳之〇又方紫檀細末五倍子燒灰研末調匀傳之效〇又方擣旋覆苗傳之良

〇又方用牛膝擣末傳之梅師方

治金瘡腸出不收用小麥五升水九升煎取四升以綿濾去滓令極冷人口含噀其背腸漸漸入勿令多人見之亦不宜傍人言語又不宜食飽待十日間則瘥○又方以滑石磁石各三兩爲末米飲方寸匕日二三服

治金瘡以花蕊石合硫黄同煅研末傅患上其妙如神 圖經本草

治金瘡血不止生肌散取晚蚕蛾爲末摻患處以絹帛裹之隨手瘡合血止

博物志方交州夷人以煎銅爲鏃著毒藥於鏃鋒上

中人須臾腐爛骨肉以月經水尿汁解之即效

治金瘡擣檳榔黄連少許爲末傅之經驗後方

治金瘡中風用蜀椒量瘡大小用麪作餛飩煻火中炮熱開一孔當瘡掩之引風出可作數枚替換以瘥爲妙肘後方

治金瘡血出不止取蝙蝠二枚燒煙盡研末以水調服方寸匕令一日服盡當下血如水

治金瘡止血收瘡口右以雞内金焙爲末傅之立止奇效良方

治金瘡内爛生蛆者右以皂礬炒過爲末乾摻傅其

中其蛆即死

治金瘡用瀝青不拘多少爲極細末加生銅屑末摻之立效　松篁岡方

治金瘡弓弩箭中悶絶無所識用琥珀研如粉以童便每調一錢三服則瘥

治刀斧傷及一切金瘡以白殭蚕不拘多少炒黄色去系爲末傅之立效　勝金方

治毒藥箭傷搗藍青汁飲服以藍靛傅傷處即解或以鹽敷傷處艾灸鹽上三十壯瘥　集驗方　〇又方以貝母搗爲末每服一錢匕不拘時日三四服以末

傳傷處

治箭鏃入骨取不出疼痛用巴豆三枚蜣蜋三枚細研塗傷處候痛止微忍之極痒不能忍者卽撼動拔出次以膏藥貼生肌收斂

治箭頭在咽喉中或胷膈中及諸處不出者用鼠肝五具細切爛研傅之兼以鼠腦髓或鼠頭血塗之亦治針折在肉不出者尤效○又方以螻蛄搗取汁滴上三五度箭頭自出

治箭頭入肉骨不得出者用菪蒗卽天仙子先於端午採之莫令人雞犬見之在淨室搗泥黃丹爲丸

如彈子大以袋盛懸於高處陰乾如用每一丸緋綿裹納臍中以帛縛定先以象牙末摻患處後以前藥復貼不日箭頭潰處即出

治箭頭并針折在肉中不出搗象牙屑以水和傅上即出　附後方

治箭傷止血定痛用定粉風化石灰乳香沒藥各一兩枯白礬三錢各研爲末和勻摻之

治從高墜下及木石所壓凡是傷損瘀血凝積痛不可忍此藥推陳致新用大黄一兩酒蒸杏仁去皮尖右酒煎五更入雞鳴時服取下瘀血即效凡氣絕

不能言者以童便急灌之甚妙（濟生便宜方）

治從高墜下瘀血搶心面青氣短欲死者用胡粉一錢匕水調服之卽瘥

療從高墜下若爲重物所頓笮得瘀血用琥珀屑酒服方寸匕取菖蒲末調服日三四服（千金方）

救從高墜下血冲心欲死用豆豉一大盞水二盞煎三沸去滓服如氣絕不言者急強開口以小便乘熱灌之

治被打擊頭眼青腫炙肥猪肉令熱搨上（肘後方云血聚皮膚不消散者用之）○又方取墻上朽骨唾於石上磨末汁塗

之乾即易

治被打擊瘀血在腸内久不消散有時發動者用桔梗爲末熟米飲下刀圭 百一方

治跌打損傷瘀血在骨節及胷脇腫痛用生鐵一斤酒三升煮一升服之

治跌打損傷刀斧傷破血流不止用何首烏搗末傅傷處

治跌打損傷取九龍草搗取汁用童便老酒服下其渣仍用熱酒糟拌敷患處累經累驗 此草生竹園籬笆上在處有之一名老鴉眼睛一名雞窩草色青方梗延蔓一節一葉一葉又分爲五小葉比之梅葉尖狹步

每葉邊又一小小細藤絲〇又方用蘇木剉水煎服極能活血切不可飲冷水血見寒則凝但一系血入心則死

〇又方用白朮剉以童便煎服和中活血衛生易簡方

治跌撲傷損瘀血留於經絡遂成痼疾採老黃茄種薄切片瓦上焙乾爲末酒調或塩湯調服三錢日二服雖十年積血更下矣

治打撲損傷臂脫服此令內消取生地黄研膏木香爲末將膏攤於帛上一層摻末一層貼於患傷處量可束之

治打折損傷用烏梅肉同飴糖稍稍食之自消葛氏方

治壓撲損傷取胡桃仁溫酒頓服圖經本草

治一切打撲傷損及刀斧所傷血出不止用臘月黑牛膽裝石灰四兩白礬末一兩陰乾取出入黃丹炒紫色研細一兩和勻用之

治顛撲損傷出血者以薑汁香附各四兩末酒調服之

治傷損多年不瘥炒冬瓜子爲末溫酒日每服之孫真人方

治傷損瘀血用飴糖熬焦和酒服之醫林集要

治撲損更取龜血入酒食肉生研厚塗之效陳士良方

治墜傷撲損瘀血在内煩悶用蒲黄末空心熱酒調下三錢七服塞上方

治撲打墜損瘀血攻心悶亂疼痛似火取乾荷葉二三斤燒令煙盡細研食前以童便一盞温酒調三錢七日三服聖惠方

治墜馬拗損取桑根白皮三五斤爲末水一二升煎膏傅損處亦服之易散瘀血千金方

治墜馬折足取極細銅末和酒調服之遂痊效驗朝野僉載方

治墜落車馬折傷筋骨疼痛搗延胡索爲末以豆淋

酒調服二錢日一二服

治傷骨折碎此方能接補取大蝦蟆搗爛如泥厚傅劈竹以帛縛定五日一易自瘥

治腦骨破及骨折取葱白搗爛和蜜厚封損處立瘥肘後方○又方燒鼠糞研末豬脂調傅帛縛之奇效單方

治跌撲骨折用五靈脂一兩小茴香一錢爲末另研乳香末先用黄米粥調乳香末塗患處後用二味末敷於上以帛裹薄木片夾之

治打撲骨折服此能接骨用舊油靴皮將多年陳醬抹在皮上以火燒化又用蛤薄虫甜瓜子同一處

搗爲細末好熱酒一碗調服立效

治骨折斷先服此麻藥則不知痛矣用草烏炮當歸白芷右爲細末每服二錢溫酒調下略身麻木然後揣接

治顛傷骨折及血出者用滑石甘草爲末人參煎湯調服次用生姜汁一盞醋一盞獨核肥皂角四箇敲破投於姜汁醋中紗片濾過去滓入牛皮膠煎成膏藥貼之〇又方用冬瓜皮阿膠等分炒乾爲末以酒調飲以醉爲度

治折傷馬墜推陳致新能生血沒藥研末二錢以熱

酒調服海藥方

治折傷疼痛取死童子骸骨煆過香瓜子仁炒乾等分爲末好酒調下止痛極速扶壽精方

治折傷骨碎跌損皮肉尋路上破鞋燒灰研末傅塗以帛縛之二三日一易備急方

治腕折瘀血以蒲黃當歸二味爲末酒服方寸匕日三服千金方

治一切破傷用燈心草爛嚼和唾貼之以帛縛定血立止衛生易簡方○又方用自然銅研極細水飛過同當歸沒藥末各半錢酒調頻服仍以手摩疼處

治打撲打傷皮破筋斷用白膠香爲末傅之奇效良方

治破傷筋絶取蟹頭中腦及足中髓熬之貼患中筋即續生

治墮墜損筋骨蹉跌骨碎破肉搗生地黄炒熱熨之以帛裹三日夜數易若血聚以針之梅師方

治傷筋能續用旋覆花根洗淨搗量傷大小傅之日易一二次乃瘥

治筋斷骨碎痛不能忍用硼砂一錢半水粉當歸各一錢爲末每服二錢煎蘇木湯調服仍時時飲蘇木湯立效○又方取金沸草根擂汁塗筋封口便

可相續止痛

治閃錯筋骨傷損用骨碎補爲末煮黄米粥和之裹傷處

接筋斷骿指折斷用千年潤細根旱蓮草右搗細箬葉包定以系帛裹定日過去之

治初打破用石灰不拘多少貼之如神　王玎方

治破傷風用糞堆内蠐螬一箇用手捻背口内涎出抹于破處覺麻須臾汗出而愈將虫放于原處如或牙關緊急者用三二箇同酒服之立效〇又方用桃核殼半箇將人糞填滿以榆皮盖定掩於傷

處以艾於桃核上灸十四壯即愈永不發作以上俱注

陽醫士王玎方

諸刺門

治竹木刺肉内不出疼痛，用王不留行爲末，熱水調下方寸匕，即出。○又方，用瞿麥爲末，水服方寸匕，日三服，即出。○又方，擣生牛膝莖葉塗之。梅師方○又方，取白茅根燒末，以猪脂調塗。○又方，以頭垢傅之。附方 後○又方，取乾羊屎燒灰，猪脂和，封孔上。○又方，取狐糞燒灰，和猪臘脂，封孔上。

治木刺入肉痛，酸棗仁核燒灰，水調服之。○又方，取白梅細嚼傅之，立出。

治諸刺入肉不出疼痛，燒鹿角或魚灰爲末，調塗患

上過一宿已立出兵部手集○又方成瘡取蒲公英擣傅

瘥圖經本草○又方用杏仁燒黑者擣爛以車脂調勻貼

上其針自出○又方擣萆麻仁傅之刺出即去○

又方取松脂流出如乳香者爲末傅患上以帛裹

三五日瘥

湯火門

治熱油湯火燒瘡痛不可忍取石膏搗末細研傅患處梅師方

治熱油傷赤腫取蕎麥麪醋和或蜜和作薄餅貼之日易○又方取鼠一頭油中浸煎之候鼠焦爛盡成膏研之仍以綿裹絞去滓待冷傅之日三度○又方丹參八兩細剉以水微調取羊脂二斤煎三服以傅患處○又方取狗毛細剪以羊皮膠和毛傅之○又方用麻油浸黄葵花傅上○又方取胡桃仁燒令黑杵如脂傅患上○又方取柳白皮燒

灰研傅之

治湯盪火燒瘡取孫蔣根即茭草根燒灰以雞子黃調塗之（經驗方）○又方用劉寄奴擣末先以糯米雞翎掃後摻藥末在上更不痛○又方以鹽末摻之護肉不潰爛後以藥末傅之○又方以白蜜塗之又以竹中白膜貼之（勝金方）○又方取蛤蜊殼火煆研為末油調塗之（虞世南方）○又方用萆麻仁蛤粉等分研末為膏以油調塗傷處（肘後方）○又方取黍米神麯等分各炒令焦杵末以雞子白調傅患處（肘後方）

○又方以水煎膠令稀稠得所待冷塗之○又方初被火燒急向火炙雖大痛强忍之一食久即不疼

治中熱油瘡及火燒瘡取栢白皮乾末豬脂調塗瘡上鬼遺方

治湯火燒爛用白斂末傅之又擣生胡麻厚傅○又方以胡粉羊髓和塗之外臺秘要○又方用側栢葉燒存性爲末以雞子清調傅○又方以醋磨泥濃汁傅之○又方取濕牛糞傅之立止千金方○又方以熟雞子十箇取黄炒煎焦黑取油入膩粉攪匀用

雞翎掃患上易瘥更無痕疤百一方○又方採桑葉乾爲末蜜調服用梨削片貼之日易庶不潰止痛○又方用桐油雞翎掃傳之衛生易簡○又方燒血餘研灰以臘豬脂調傳○又方取多年廟上吻獸搗末油調塗立效○又方用白芨白斂末摻傳生肌止痛○又方取炭磨水汁漬之良○又方用寒水石煅研末水調塗之○又方取舊窻紙醮陳醋漬之良○又方湯火燒爛取榆白皮嚼熟封之瘥○又方搗大黄梔子末獐腦少許傳之千金方○又方用桐油塗上細研土硃末傳之衛生易簡方

治火燒未起急煎梔子仁末以麻油和厚塗上已成瘡燒白糖研灰粉之即燥立瘥

治火燒已破取兔腹下白毛燒膠以塗毛上貼之待毛落瘥

治火燒傷壞成瘡搗雲母粉和羊髓如泥塗○又方取赤地利二兩搗末生油調塗

治灸瘡腫痛急搗田中黃土水煮令熱淋漬之良以人精塗亦良○又方急搗竈中黃土水煮令熱淋漬之即良千金方

治向火多生班瘡用黃柏薄荷爲末摻之

治灸瘡不瘥取兔毛燒灰貼之瘥○又方猪膽灸黄栢爲末傳之瘥或蜜灸亦可○又方灸瘡多時不瘥痒痛出黄水用楸葉貼之或根白皮搗爛傳之

聖惠方

骨鯁門

治魚骨鯁橫在喉中用琥珀一物貫患著繩推令前入至鯁所又復推以牽引出若水晶或珠亦得又口稱鸕鷀則下（外臺秘要）○又方取鯉魚鱗皮合燒作屑以水服之則下○又方用瞿麥爲末水調服方寸匕○又方用薔薇根爲末水調服方寸匕○又方用硇砂少許咀嚼嚥之立下○又方取生艾蒿剉以酒煎徐徐飲之○又方用虎骨爲末水調服方寸匕○又方用鹿角燒灰爲末含津嚥下（斗門方）

○又方嚼韭白一把令柔以繩中吞韭到鯁處引

之隨出○又方以肉麪乾物嚼嚥隨物下之千金方
○又方用獺爪於咽喉外爬之即下
治骨鯁用白飴糖大口嚼嚥下○又方硼砂成塊者
水滌淨日夜嚥化下其骨自軟○又方用香椿子
陰乾半碗擂碎熱酒衝調服之良久連骨吐之即
出怪症奇方○又方取玉簪花根搗汁一滴或以箸葉
或以竹管注於骨上即消不可著牙著牙則壞牙
○又方苧根搗碎丸如龍眼大魚骨鯁以魚湯化
下雞骨鯁以雞湯化下奇效單方○又方用桑木上虫
屑以醋煎灌漱自下○秘方刀鈞骨用韭白三根右

搗爛撚作丸如骨子大用線纏果線繫茶甌下至骾處手牽線吐出原骨○又方釣骨用細茶濃煎飽飯即將老鴉劍子擂冷水吃即吐其效如神○又方爛骨不爛肉甚妙取奴都根茅渣根右用好醋煎熱竹筒灌入喉中切莫沾齒最妙○又方用奴都根威靈仙濂江龍右用好醋煎熟水調開灌入喉中 濟生便宜方

治骨骾以橄欖食之或搗核為末順流水服○又方取鷹屎末水服方寸匕 千金方

治誤吞錢并金銀物以胡粉搗水調末服之令消洋

出之○又方以羊脛骨燒灰米飲調下三錢匕○又方用石灰一杏仁大硫黄一皂子大以酒煎化温温呷之若吐骨隨涎出○又方生嚼銀杏三十枚即從大便下自驗方○又方取蒼耳草切咀水煎浸飲水愈

治誤吞銅鐵而骾者燒銅弩牙赤入酒中飲之立瘥

治誤吞竹水不得出用舊鋸條燒赤投酒中熱飲

治誤吞銅錢搗生茨菰汁呷飲自然消化○又方用桑柴灰細研米飲調下二錢日二三服斗門方

治誤吞銅錢銅物多食核桃或荸薺其銅自爛扶壽精方

治誤吞針用蚕豆煑熟同韭菜喫下針同菜大便而出○又方用磁石一塊呵之即出○又方多食肥猪羊肉自瀉出

治誤吞稻麥芒於咽喉間取鵝口中涎灌之或取薦頭草嚼之

治誤吞鐵石骨刺不下急危者用王不留行黄蘗等分爲末湯浸蒸餅丸彈子大青黛爲衣線穿掛當風處每用一丸冷水化開灌下

治誤吞馬蝗腹痛取田中泥爲丸水吞下其蟲必隨吐瀉出 衛生易簡方

治針誤入皮膚不出，取車脂成膏攤紙如錢大，貼之二日一易，三五次針自出。衛生寶鑑方

治針鐵誤入皮膚不出，取烏鴉翎三五枝，火炙焦爲末，好醋調成膏貼之，即出。○又方，象牙末水調塗之，立出。○又方，用酸棗燒灰塗之，立出。

治骨硬，用狗一隻倒吊，吐出涎水，飲之，與骨同出。王玎方

諸傷門

治狂犬咬傷取鼠糞燒末傅瘡上即瘥○又方用雄黄五錢麝香五分研勻以酒調二錢服下去惡物再服得睡莫驚覺或經久復發亦宜服此

治狗咬傷痛難當藟同嫩葉樟酒糟和共擣貼上即安康濟生便宜方○又方用杏仁擣膏先以葱湯淋洗拭乾杏膏貼傅立效經驗方○又方用白礬末摻入患上以帛裹之止痛速愈救急易方○又方用乾姜末納患上即瘥

治犬咬傷人發成瘡者以頭垢少許貼瘡中亦以熱

牛糞傳之

治犬咬破傷風用人參不計多少桑柴火上燒令煙絶細研末摻於瘡上立效

治風狗咬傷用班猫三箇去翅足研細酒一盞煎半盞空心服小便中取下肉狗至四十箇爲盡如欠少歇數日同前再服○又方用膽礬末傳患上立愈衛生易簡方

治猘犬咬傷用梔子燒灰石硫黄等分爲末傳患上瘥梅師方○又方搗地黄汁飲之並塗瘡口百度止千金方○又方仍殺所咬犬取腦子傳之後不復發

葛氏方

治猪犬咬瘡不瘥吐白沫者爲毒入心叫喚似犬聲以骷髏骨燒灰研以東流水調服方寸匕 梅師方

治馬咬傷毒氣入内取馬齒莧煎湯服之瘥騾驢咬亦效

治中驢涎馬汗毒傷人用飛白礬黄丹炒紫色等分相和調塗患處 王氏博濟

治虎咬傷人用乾姜末以貼患處立瘥亦治狼咬即效 肘後方

治虎傷人瘡取葛根煮濃汁淋洗塗傳擣末水煎日

夜五六服梅師方〇又方用香油洗患處仍飲油一盞有效

治虎狼犬蛇咬傷取地榆根爲末酒調服方寸七日一二服亦以末傅傷處甚妙

治熊傷人及虎牙傷人成瘡燒青布熏瘡口毒出仍煑葛根汁淋洗瘡數度再搗末煎服

治猪咬用屋霤中泥塗之即今之承溜也

治猫咬搗薄荷汁塗之〇又方浸花椒水調莽草末傅上瘥

治鼠咬取猫毛燒灰麝香少許津唾調傅

治蛇咬傷用布片或麻繩縛住所傷處兩頭以手刮去毒氣冷水洗淨將艾於傷處灸之三壯即瘥○又方取苦苣擣爛傅之

治蛇咬腫毒悶欲死用薹六分續隨子七顆去皮爲末酒服方寸匕及以唾津和少許傅之

治蛇咬傷腫毒雄黄不拘多少擣萵苣汁捏作餅好酒化服好酒熱洗亦瘥

治蛇入人竅中因在山坡草地困卧而有之急以手捻定用刀刻破蛇尾花椒置于內或以辛辣物置其內用繩麻繫之自出切不可拔

治諸蛇虫傷毒用雄黄青黛等分爲末新汲水調二錢服○又方酥和塩傅之瘥○又方用蒼耳嫩葉一握搗汁温酒和飲滓搗厚傅傷處如口噤身强者以汁灌之○又方用益母草搗爛厚貼傷處○又方用鐵繡蒜磨汁傅傷處立效○又方獨蒜酸漿草搗傅傷處○又方用紫蘇葉油浸塗傷處○又方用蓼搗汁飲滓傅患處○又方取人屎傅之帛縛之即瘥

治天蛇毒似癩非癩天蛇即草間黄花蜘蛛人被其螫仍爲露所濡成此瘡用秦皮煎汁徐徐飲之

治鼠咬腫痛用猫糞填咬處

治人牙齒咬傷腫痛用龜板或鱉甲燒灰爲[illegible]香油調塗

治蝎螫用白礬末一兩醋半升煎汁浸洗螫處即瘥 孫真人食忌

治蝎螫蜂螫傷用人參口嚼塗封之瘥 千金方

治蝎螫傷用黄丹醋調塗患處 聖惠方 ○又方用茸草口嚼成糊塗患處痛止 千金方 ○又方取猪脂搽患處痛止 救急易方 ○又方用丁香末蜜調塗之痛止 廣利方 ○又方取穀莖擣汁塗上立瘥○又方用烏頭

末少許醋調傅之一方取薄荷葉貼之良勝全方○又方搗新地榆絞汁服亦漬患上良圖經本草

治蝎螫痛不能忍者用葱白切厚片以艾炷俱坐痛處炙三五壯立止○又方五月五日取獨蒜搗和真煤搽患處屢驗方

治蜂蝎螫人用乾姜末以唾津調傅患上痛止肘後方

治蜂螫傷搗蜂房末猪脂調傅患處煎湯淋洗易得梅師方

治蝎蜂螫人用半夏末水研塗之立止痛一方醋磨雄黄汁傅之良錢相篋中方

治蜘蛛咬傷口嚼麻仁汁塗之○又方用生姜汁調蠟粉傅之○又方用油和鹽傅數數揩之（奇效單方）○又方遍身生紅系用羊乳飲之瘥塗傅亦佳

治蜘蛛毒用桑白皮搗汁傅之○又方用麻油研傅之○又方用山豆根末唾調塗患上

治毒虫咬傷搗紫草末油調塗

治蜘蛛飛絲誤入人口取紫蘇葉不拘新舊嚼之愈

嶺南衛生方

治蚯蚓咬或於地上坐卧不覺咬腎陰腫以鹽湯溫洗數次甚效

治八角虫傷人其虫隱於壁間以尿射人遍身生瘡狀如湯火傷用烏雞燒灰爲末雞子白調傳〇又方用茸草煎湯洗之或嚼梨葉傳之或嚼麻子傳之

治蠼螋尿人影著便令人體病瘡如粟粒纍痛似刺虫所螫惡寒壯熱用犀角磨汁塗之立愈

解諸傷毒用雄黃五靈脂右爲末每服一匙好生酒調服

治蜈蚣咬人取頭垢膩和苦參末酒調傳之梅師方〇又方用以雞血塗之立瘥廣利方〇又方用桑葉梗

取白[illegible]和鹽調塗

治蜈蚣咬凡破傷急以指於地下書王子撮土摻患上備急方○又方用香油燃燈吹滅以餘煙焠之亦

治蝎螫甚驗

治蛇傷蜈蚣咬蝎螫用白礬於刀上飛過用紡貼于傷處

諸蠱毒門 附藥毒食忌

治卒中蠱毒下血如鷄肝晝夜患聲不絕臟腑敗壞搗桔梗取汁服七合得瘥 梅師方

治五種蠱毒用兜鈴根三兩爲末分爲三劑每劑水一盞煎五分去滓頓服當吐蠱出如未吐出再將分劑煎服以吐出爲止 聖惠方

治中蛇蠱食飲中得之喉中如有物嚥不下吐不出心悶熱服兜鈴即吐出蠱毒服麝香亦吐 外臺秘要

治諸蠱在臟腑久不瘥者用檳榔剉搗爲末每服一錢至二錢葱蜜煎湯調下空心服 簡要濟衆

治患蠱毒客遺人用山豆根爲末水研服少許若已噤聲不瘥再服　經驗方

治中蠱下血如雞肝出其餘四臟悉壞唯心未毀或鼻破待死取馬兠根擣汁服或乾末水服方寸匕隨吐則出極神效　外臺秘要

治飲食中蠱毒令人腹内堅痛面色青黄淋露骨立病變無常取桑木心剉得一斗著釜中以水二斗淹之令上煑取二斗澄清再煎五升空心每服五合其蠱毒吐出

治中蠱毒用大戟東引桃白皮大火烘之斑貓去足

翅炒三件等分爲末水服半方寸匕其毒即出如不出再一服蠱拜出若酒中得酒服食中得飲服之奇效

治蠱毒下血用蝟皮燒末水服方寸匕日三服當吐蠱出

治蠱毒下血如爛肝用蚯蚓十四條以苦酒三升漬之蚓死但服其汁已死蚓皆可活

治中蠱毒用甘草煑汁服之吐痰出若平生預防蠱者宜熟艾煑服即內消不令吐神效

治凡人入有毒之鄉飲食內先以犀角攪試有毒即

白沫踊起無沫即無毒也衛生易簡方

治寸白蟲雷丸一味水浸軟去皮切焙乾爲末每有疾者五更初先食炙肉少許便以一錢匕藥稀粥調半錢服之服時須初三日食起白蟲乃下經驗方○又方日食七顆接骨木服七日滿其蟲皆化爲水○又方用榧子一百枚去皮啖之能食盡佳不然啖五十枚亦得經宿蟲消下外臺秘要○又方取酸石榴東南引根切取一升水一升三合煮取八合去滓著少米煮稀粥空腹食之即蟲下圖經本草○又方取茱萸東北引根刦去土四兩以水酒各一升

浸一宿至平旦日服 千金方

治諸蟲在臟腑久不瘥者用使君子仁徐徐口嚼日日食之或酒煎石榴皮湯下 經驗方

治蛔蟲攻心如刺咳吐清水用龍胆草二兩去頭剉碎分二服每服水二盞煎取一盞去滓隔宿不食至旦出時一頓服即瘥

治蛔蟲攻心腹如刺痛口吐清水用雞子一枚開頭去黄以好漆一匙入殼中相和仰頭吞之其蟲利下 勝金方

治蛔蟲咬心用苦楝皮水煎服之即止其蟲便下 梅師

方

治䘌蟲蝕下部用泥作甖以竹筒如指長一頭坐甖中内下部孔中用艾一團如雞子大坐泥甖中燒之令燒煙燻入下部强人可益久良 肘後方

治中宿冷蟲寸白蟲用山豆根爲末每朝空心熱酒調三錢服之其蟲自出 經驗方

治蛕蟲攻心如刺口吐清汁七月七日採蒺藜陰乾作灰食前酒服方寸匕日三服 外臺秘要 ○又方擣生艾取汁宿勿食至旦先食肥香熟脯一方寸片令蟲先聞其香後服艾汁蟲自下 葛氏方

治蟲咬心疼用鶴虱一兩爲末空心溫醋服之蟲利下

治蟲在臟腑久不瘥者用檳榔半兩炮爲末每服一二錢空心葱蜜煎湯調下 經驗方

治脾胃有蟲食之則痛面黄無色疼痛無時用石州蕪荑仁二兩和麪炒黄爲末米飲調二錢不拘時服 千金方

治癖蟲蝕人腎骨用鼠李根煑汁空心服一盞少時當瀉

治胃喉間覺有癥蟲上下遍聞葱豆豉食香此是髮

蟲油煎葱豆豉令香二日不食張口將油葱豆豉放口邊蟲當漸出徐徐以物飲去之

治腹中聞如蚯蚓鳴及中其毒先飲塩湯一盞次以塩湯浸洗浴之愈

治諸蟲在腹中攻痛搗黑牽牛末每服三錢以豬肉四兩炙熟薄切摻末空腹食盡蟲即下（攝生衆妙方）

治腹中蟲或作痛用雞心結實檳榔十枚切取石榴近根向東南方者皮七片每片長闊俱二指以水一大碗煎至八分露一宿患人於上半夜先將乾炒肉含在口中細嚼勿嚥下使蟲口俱朝上乃服

煎藥少頃腹中微動蟲即隨下百試百驗若至下夜服則蟲口俱朝下雖服藥亦無效矣

琥珀散追蟲打積甚效用黑牽牛二兩檳榔一兩搗取細末空心用砂糖調湯送下三錢要見蟲積方纔飲食爲效

治一切毒用膽礬爲末糯米糊丸如雞頭實大以硃砂末爲衣常以硃砂養之用時每一丸以新汲水化下 勝金方

治金石藥毒用黑鉛一斤以乾鍋中鎔成汁投酒一升如此數遍候酒至半升去鉛頃服之瘥〇又方

用麥門冬去心六兩人參四兩甘草二兩炙擣爲細末蜜丸如桐子大每米飲下日三服○又方用石青研極細末以新汲水調服一錢匕即解採金星草酒煎服亦解

治服藥過劑及中毒煩悶欲死燒犀角末水服方寸匕外臺秘要○又方擣藍莖葉取汁服數升無藍浸青絹取汁飲之

治諸藥相反中毒取蚕脫燒灰研一錢冷水調下即解○又方壁上土研水調服良虞世南方

治藥毒上攻川蜂房甘草等分爲末水二盞煎八分

令溫頓服經驗方

治烏頭巴豆毒甘草入腹即定

治砒霜毒取寒水石煅水研服之即解外臺秘要 又方

取菉豆搗末以新汲水調下日三服即解

治中斑猫芫菁毒用大豆汁塩湯或藍汁即解

治中很毒宜用杏仁藍汁或塩水皆解

治中藜蘆毒用雄黄末調溫湯或葱湯汁冷服解

治中甘遂毒搗大豆水調服立解

治中蜀椒毒用葵子汁桂汁豆豉汁人溺冷水地漿

大蒜各服皆解之

治中川花椒毒閉口者不可食食者閉氣不通即殺人用大蒜擣冷水調服解之桑根白皮汁解擣葵子汁冷水調服即解取新汲水可解

治誤食金銀毒用鴨血雞子汁服

治誤食鐵氣毒磨磁石汁水服解

治誤食桐油令人嘔泄飲熱好酒乃解

治誤中飲食中毒未審中何毒卒急無藥可解只煎甘草薺苨湯服之入口便活

治飲食中毒以苦參三兩酒二升半煮取一升服之吐愈

治食苦瓠中毒煑黍穰汁飲解普濟良方

治食諸菜毒用甘草貝母胡粉三種末水調服之則解

治食諸菜中毒發狂煩悶吐下欲死煑葛根汁飲之即解

治菜中有水茛菪葉圓而光有毒誤食之令人狂亂狀若中風或吐煑甘草湯服之即解

治食牛肉中毒煎甘草汁服一二盞即解

治食羊肉中毒甘草亦解之

治食竹雞竹雉中半夏毒用生姜擣汁强齒灌之即

活 證類本草

治食雞子有毒者用醇醋服之

治食狗肉不消心下堅脹口乾發熱妄語用杏仁一升去皮水三升煎沸去滓分三服利下肉爲度

治食楓樹菌中毒令人笑不止用地漿飲之即瘥

治食蟹中毒搗紫蘇莖葉取汁飲之即解方 金匱 ○又方搗生藕汁或煑乾蒜汁或冬瓜汁服之並佳 聖惠方

治食鱔魚中毒可食蟹解之

治食魚中毒濃煑陳皮汁飲之又方用冬瓜汁服最

驗小品方

治食自死六畜肉中毒取黄蘗末方寸匕服之瘥衍義方

治食馬肝中毒取雄鼠糞二七粒兩頭尖者水調飲之日再服

治食馬肉毒取蘆根五兩切以水八升煑取二升分爲三分服之金匱玉函

治食河豚魚毒一時困殆食卒無藥解急用清香油灌之使毒物盡吐方瘥○又方用五倍子白礬等分爲末水調灌之

治食水芹中毒盖春四月秋八月龍帶精入芹菜中人遇食之手青腹肚脹滿痛不能忍用硬糖二三升服之日二度吐出蜥蜴二三便瘥

治食野芋毒用土漿人屎汁服即解

治中雄黄毒用防己煎湯解之

治中杏仁毒搗藍汁解

救食六畜肉中毒以水服壁上土一錢即瘥○又方食牛肉中毒以猪牙燒灰爲末水調服一錢瘥

救食一切蕈毒掘地取汲井水在内調土漿澄清飲之○又方食菜中毒用雞糞燒爲末水調服一錢

未解再服

救食諸魚中毒用橘皮汁大豆汁馬鞭草汁紫蘇汁服之即解〇又方中食鱔鱉蝦蟆毒此三物令人小便秘臍下痛有至死者用豆豉一大合新汲水半盞浸令豉水濃飲之則解

救中砒毒旋刺下羊血或雞鴨血熱服得吐再服再吐亦服易二三服換盡毒物方瘥蕉解鼠莽毒〇又方用藍根沙糖二味相和擂水服之〇又方急取調醬水服之亦佳

救中蠱毒用白礬一塊嚼之覺甜不澁次嚼黑豆不

腥者便是有蠱也急取木梳齒上垢膩不拘多少服之吐出惡物○又方用石榴根皮煎汁飲之即出活虫無不愈者

救中諸藥草毒用菉豆乾粉研末水調服之擂生菉豆爲末水研調服亦可解○又方以甘草或黑豆淡竹葉煎濃湯服下即解

救百蠱不愈者用鵓鴿熱血隨多少服之即蘇○又方用胡荽根擣汁半盞不拘時服其蠱立下和酒服更妙

救毒蛇傷並諸色惡虫傷毒氣入腹者取蒼耳草嫩

葉擣爛絞取汁灌服即瘥

治中礬石毒煎大豆汁解之

治中芫花毒用防風甘草桂解之

治中巴豆毒用黃連小豆汁大豆汁並解之甘草湯亦解之

治中附子烏頭毒用大豆汁遠志湯解之

治中半夏毒擣生姜汁乾姜煎湯可解之

治中大戟毒用菖蒲擣汁解之

治桔梗毒食白米溫粥即解之

治中鴆毒擣葛根粉三合水三中盞調飲之如口噤

揭開灌之

治中水毒手足指冷即是或至膝肘取浮萍日乾服方寸瘥

治中砒毒用漢椒四十粒黑豆四十粒烏梅二枚搥碎甘草節煎湯解之白扁豆末水調解之〇又方用鬱金末冷水調服解〇又方單取菉豆生搗碎末冷水調服解之

救危中砒毒煩燥心腹絞痛頭旋欲吐不吐面上青黑四肢俱冷用新殺羊血通口灌服下須臾吐出再服亦　再服易服三五次將内毒以羊血更換

引出方瘥

解諸毒藥用葱白煎湯一碗調玄明粉二錢頓服之

其諸毒立瀉下 衍義方

治食馬肉肝中有毒食之殺人文成食馬肝而死○

凡六角四角羊不可與六角面香同食殺人

食羊肝不可合猪肉及烏梅小豆食之傷人○羊心

有孔者不可食食之殺人○白羊肉不可與雉雞

同食○猪肉不可與羊肝同煎有忌○牛腸不可

合狗肉同煎食○雉雞不可與雞生葱菜煎食○

猪肉猪首不可常食白猪白蹄不可食○牛自死

者不可食○猪肉最不可近蒼耳草慎防之○蠏未經霜者多毒不可食○兎肉不可多食久服弱陽損元氣令人色痿同姜食令人心痛○雞子同葱食之令人氣短○雞子同鱉食之損人○雞子同獺肉共食成遁尸諸藥不能治○雞兎同食成洩痢○家雞合水雞食作遁尸○鴨卵同鱉食之害人○天行病後慎不可食鯉魚食之再發即死

魚頭有正白通連脊上不可食○魚勿合小麥小豆莢調菜○魚無腸膽及頭無鰓勿食○青魚不合生胡荽○鯽魚不可合猪肝食○龜中黑色

者常啖蛇不可食其殼亦不甚用○魚子不可合猪肉食○鱔魚腹中黃世謂之黃鱔此尤動風氣多食之令人霍亂此屢見之明驗○諸魚有毒者魚目有睫殺人目得開合殺人逆鰓殺人腦中白連珠殺人無鰓殺人二目不同殺人連鱗者殺人白鬚殺人腹下丹字殺人魚偏大者有毒食之殺人○鱉目陷者及合雞子食之殺人不可合莧菜食之其厭下有如王字形者不可食之○鱉頭足不能縮及獨目者並大毒不可食食之殺人○鱉目凹陷者不可食食之殺人目白殺人腹下有卜

字及五字不可食○鱉三足謂之能不可食○十二月勿食蠏食之傷神蠏及動風有風疾之人不可食屢見其事○梨不可多食則動脾○李不可同蜜食損人○杏不可多食令目昏○桃多食發瘡癘○蕎麥合牛猪肉食之多生風癩脫人眉○陳廩米和馬肉食之發痼疾○牛肉不得和黍米白酒食之必生寸白虫○糯米飯合酒同食醉難醒○黍米合葵菜食之成痼○九月勿食被霜瓜食之令人成反胃病○十月勿食椒食多[illegible]心令人多忘○芥菜合兔肉食之成惡瘡○[illegible]

脚氣人勿食食之其患又不除○甜瓜五月沉水者食之殺人多食發黄疸動冷疾生兩蒂者殺人○正月勿食生葱食之發面上遊風若燒葱和蜜食之殺人○茄子味甘寒久冷不可多食損人動氣發諸瘡癎疾○赤白豆合魚鮓食之成消渴○小豆醬合魚鮓食之生口瘡○黄酒不可合乳汁飲之令人氣結○燒酒同牛肉食之腹内多生蟲○醉後不可卧黍穰食猪肉令人患大風○飲酒忌食甜物空腹飲酒醉必患吐逆

客忤門

治客忤中惡之類也多於門外途路間得之令人心腹絞痛脹悶衝心胷不治即死殺人搗研墨汁服之立瘥 肘後方

治客忤中惡卒死者用皂角末吹入鼻中或搗韭汁灌耳中以艾灸臍中百壯 奇效良方

治客忤中惡項强垂死用麝香一錢研和醋二合服之即瘥 廣利方

治客忤中惡令人心腹疼痛脹滿氣腫心胷用真黄丹蜜調强口灌之即效 千金方

治卒客忤停屍不能言用珎珠末以雞冠血和丸小豆大每服三四粒入口中梅師方○又方炒桔梗二兩爲末米飲調稀強口灌之仍吞麝香如豆許佳外臺秘要○又方用桂心細辛等分爲末入口中外臺秘要

治中惡卒死取菖蒲根搗之立瘥

治中惡或先病或常居寢臥奄忽而絕用薤搗汁灌鼻中即醒

治中惡卒死及魘魅自縊水溺壓顛產難氣絕者用皂角末或半夏末丸如豆大入鼻中嚏則氣通可活凡心頭溫者可治華佗方

治中鬼氣死口鼻出血用雄黄末一錢煎桃葉湯調下衛生易簡方

治一切瘵氣或近屍惡氣入腹久不愈用阿魏剉如麻子大以麪裹作餛飩煮熟食之日三食至五七日永除忌五辛濕麪生冷油膩硬物養老書

治屍厥奄然死去腹中氣鳴用生姜汁半盞和酒煎服强口灌之仍灸丹田百會氣海穴簡易方

治被鬼擊用伏龍肝爲末每服二錢新汲水調灌下以少許吹鼻中○又方取桃柳東行枝各三七寸煎湯二盞溫灌之證類本草

治恍惚見鬼發狂用平胃散加辰砂末棗湯調灌之即安經驗方

治屍壓如死脉動如故用竈突中黑煤土如彈子一塊漿水和飲之○又方用豆豉水煮汁服之○又方用官桂爲末水調灌之簡易方

治腄死者擣馬蘭根一握水絞取汁稍稍强口灌之出外臺秘要

傳信尤易方卷之六終

傳信尤易方卷之七

婦人諸症門

易州醫官鄭廷臣檢閱
涇[illegible]校正

治經水不調身黄用白礬半兩陳皮三錢為末以黄蠟半兩鎔開和丸桐子大每服[illegible]丸温艾湯下

治經水過期用川芎當歸等分為末每服二錢空心温酒調服○又方用蒲黄五靈脂等分為末每服二錢空心温酒調下 救民易方

治室女經候不調血氣相搏腹中刺痛用橘紅二兩延胡索去皮醋煮當歸酒洗各一兩為末酒糊丸

桐子大每服一百丸空心艾醋湯下

治經候不調血氣刺痛腹脇脹滿頭暈惡心崩漏帶下便血癥瘕用香附子一斤米醋浸一日以瓦瓶中慢火煮醋盡薄切焙乾艾葉四兩當歸二兩爲末醋糊丸桐子大每服五十丸淡醋湯下

治經候不調用香附一斤分作四分以好酒米醋童便塩水各浸一分至七日共焙乾爲末醋糊丸如桐子大每服七十丸空心食前温酒送下瘦人宜加澤蘭葉赤茯苓

治經候不調血臓冷痛用當歸炒附子炮剉等分每三

錢水一盞煎八分空心溫服

治經脉不及期用黃芩酒浸炒紫色爲末每服二錢空心當歸煎酒調服一方加香附童便煎下〇又方用香附以童便浸令透取出炒焦爲末每服二錢空心淡醋湯調下 救民易方

治經脉不調採苦苣菜陰乾爲末每服一二錢溫酒或艾醋湯調服

治經脉逆行血風攻腦頭目旋悶不省人事採蒼耳草嫩葉陰乾爲末不拘時酒調一盞服其功甚大服之多者連通腦門

治月經太過用甜瓜仁爲末去油以水調服

治婦人月經不通每日飲人乳汁三合通則止之千金

治月經欲來前後腹中痛用當歸以醋微炒 延胡索

紅花等分爲末每二錢温酒調服

治婦人月經不絶來無時者取案紙三十張燒灰以

酒半升調服亦治産中血暈酒服立驗已甦者强

齒灌之經一日者亦活勝金方

治婦人八室女月經瘀閉月候不來繞臍痛用乾漆碎

炒一時煙盡牛膝一兩酒浸一宿焙乾爲末取生

地黄汁入二味銀器内慢火熬可丸桐子大每服

三五丸空心酒下經驗方

治室女月水不通取鼠糞一兩燒灰研末空心温酒調服半錢奇效单方

治月信不期用阿膠炒成珠爲末每一錢酒調服證類本草

治月水不利用醍醐葉搗絞汁和酒煎服一錢

治婦人無時月水來腹痛用蓽撥鹽炒去鹽為末蒲黄一兩炒右研細末煉蜜丸桐子大每服三四十丸食後用鹽米飲呑下良方補遺

治婦人月水不通用厚朴以姜汁炙香細切不拘多

少濃煎去滓空心温服本草集要

治婦人經脉住已經三箇月驗胎法川芎一兩生爲末空心濃煎艾湯下一匙覺腹中微動者是胎也靈苑方

治月候積年不來或數月不通龍胎尾松景天各少許水二碗煎一碗去滓分三服大效龍胎似乾魚有鱗或在山澗水中出蜀中甚多衛生易簡方

治月候傷過及崩中用小薊鮮者擣取汁半升服之

血氣門

治血氣諸虛不足用當歸四兩乾地黄二兩爲末煉蜜丸桐子大每服二三十丸食前米飲下

治一切血病損傷採益母草陰乾以竹刀切洗淨銀器内煎熬成膏磁罐盛之每服一匙酒化下

治血氣逆煩悶心痛用水牛角燒灰存性爲末每服方寸匕酒調下

治血氣攻心痛不能忍取蓼根細剉酒浸服之

治血氣逆心悶痛用生蒜搗汁服一二盞即瘥

治血氣痛遊走腰痛用蓬术切作片乾漆切碎各二

兩同炒令漆焦香去漆不用右蓬术爲末每服二錢酒調下如腰痛胡桃酒下走遊痛水調下

治女人患血氣腹痛用山豆根擣末空心熱酒調二錢服之經驗方

治婦人血氣刺痛荔枝核燒存性半兩香附子去皮毛炒一兩爲末鹽湯或米飲調二錢服易簡方

治婦人血氣濃煎通草湯服三五盞便即通順食療方

治乾血氣用大黄錦紋者浸酒晒乾四兩爲末以好醋一升熬成膏丸如圓眼核大臨卧用一丸温酒化開大便利一二行經脉自下此藥調經水之仙

藥一方加醋煑香附米末三兩屢效

治乾血疾用蘇木四錢黒豆一升好酒一斤半同入鍋煑至一盞加童便一盞攪勻服汗出效萬氏家抄

治乾血勞用大麥芽炒小麥芽炒千里馬灰即左脚破草鞋各一兩爲末每服三四錢酒調服

治經血不止用五靈脂爲末炒令煙盡每服二錢當歸二片酒一盞煎六分去滓熱服三五服大效衛生易簡方

治女子血脉不通取酸石榴東行根一握炙乾水二盞濃煎汁服千金方

治婦人膜外氣及氣塊延胡索不限多少爲末豬胰一具切作塊子炙熟蘸藥末食之勝金方

治小腹堅大如盤者胸中脹滿能食而不消以麪末水服方寸匕日三服千金方

治婦人腹中有血塊用牛膝草根酒煎服效備急方

治女人腹內有癖塊用小便服之每日溫服一盞至二十日血片下即瘥○又方醋煎生大黃服之效

治婦人赤白帶下用蒼术二兩乾姜二兩炮右爲末每服三錢空心溫酒調下濟生便宜方○又方用紅雞冠花治赤帶白雞冠花治白帶晒乾爲末每服二

[illegible]調下忌魚腥冷之物○又方用芍藥三兩炒乾姜五錢炒爲末每服一錢空心酒調下○又方用旱蓮草陰乾爲末每用一匙納入雞卵中攪匀蒸熟食之食後用棗一枚去腥氣萬氏家抄○又方以真秋石爲末以棗膏和丸桐子大每服五十丸空心醋湯下醫林集要方○又方用草果每一箇去皮入乳香一小塊以麪餅裹火煨焦黄留性取出和麪爲末每服二錢以陳米飲調下重者三錢○又方用白芍藥七兩炒令黒爲末每服三錢七以酒調下廣濟方○又方用黄荆子炒焦搗爲末以酒

調服方（丹溪）○又方取兔皮燒令煙絶擣末酒服方寸匕以瘥爲度（千金方）○又方取酸漿草葉陰乾爲末空心酒下三錢匕（千金方）○又方用益母草開花時採取陰乾爲末每服二錢食前温酒調服

治婦人赤白帶下骨立者地榆一斤水三升煮取一升半去滓再煎如稠飴絞濾空心服三合日再（圖經本草）

治婦人赤白帶下久不止用狗頭骨燒灰研末每空心温酒調服一匕即效（奇效單方）

治婦人赤白帶下白下用禹餘糧一兩乾姜等分赤下禹餘糧一兩乾姜半兩右件禹餘糧以醋淬擣

研細末空心温酒調下二錢七勝金方

治婦人赤白帶下臍腹冷痛面色痿黄日漸虚困白葵花末一兩空心温酒下二錢七如赤帶用赤葵花

治乳婦人赤白帶下用猪肝葉薄劈之揾著煨熟訶子末中微火炙又揾又炙盡半兩末空腹細嚼陳米飲送下圖經本草

治血崩用益智仁炒爲細末每服三錢塩米飲調下

治婦人血崩不止及赤白帶下用香附子赤芍藥各等分爲末每服二錢塩一撮水一盞煎至七分無

時溫服日二服十服見效

治血崩不止用丁香二兩爲細末以酒三升煮取一升空心頓服○又方用荊芥燈上燒灰存性爲末每服二錢空心米飲調下○又方取老母猪糞燒存性爲末酒調一錢服如未止再一服恠症奇方○又方用烏梅燒灰存性每服二錢空心滚白湯調下救民易方○又方用白扁豆花焙乾爲末炒米飲入炒塩調空心服一錢效醫林集要方○又方用棕櫚老系瓜燒存性等分爲末每服二錢塩酒或塩湯食前調服

治血崩不止諸藥不效飛白礬爲末以麪糊丸指頂大每服一丸黄酒送下

治血崩大便血及冷痢用牛角䚡燒灰存性爲末每服二錢童便或醋調服

治血崩用蒲黄黄芩各一兩荷葉灰半兩共爲末每服三錢空心酒調下

治婦人崩中去血不止取大小薊一斤用酒一斗漬五宿任意飲之則止 補遺方

治婦人崩中下血不止以衣中白魚姜蚕等分爲末以井花水服之日三服瘥 千金方 ○又方以熟艾雞

子大阿膠炒爲末半兩乾姜一錢剉以水五盞先煑艾姜至二盞半入膠消搨分三服空腹服一日盡虞世南方○又方用五靈脂末十兩水五鍾煎三鍾去滓再煎成膏入神麯末二兩打糊丸桐子大每服二十丸空心溫酒下○又方用硇砂新瓦上炒香爲末每服二錢白湯調下○又方用龍骨燒赤當歸各一兩香附子炒黑三錢爲末每服三四錢空心米飲調下忌油膩腥肉等物○又方用綿子棕櫚頭髮共燒灰存性百草霜同研爲末每服三錢空心酒調服○又方用川川芎一兩剉酒一大盞

煎至五分入生地黄汁三合煎二三沸食前分作二服

治崩中不止不問年月遠近用槐樹上木耳燒灰爲末酒服三錢方寸匕即止亦治赤白帶下 産寶一方

方用桑耳細切酒煎服亦效

治崩中晝夜不止醫不能治用芎藭一兩生地黄絞汁二合先用酒五升煮芎藭一升去滓下地黄汁再煎二三沸分爲三服不時漸進

治崩中不止防風去芦頭炙赤色研末每服一錢以麪糊酒調下更以麪糊酒投之累經有效

治婦人崩中帶下及腸風瀉血用雞冠花子燒存性爲末每一二錢米飲調下本草集要

治崩漏用管仲二兩生白礬一兩右爲細末酒調服二錢燒紅磚一塊用醋噴之三四次以布包乘熱患婦兩脚登住即愈張真人萬應方

治婦人崩中漏下青黄赤白使其無子取蜂房燒灰温酒調三指一撮服之奇效单方

治婦人四十九歲已後天癸當住每月却行過多或不止用黄芩一兩用醋浸七日炙乾又浸又炙如此七次右爲末醋糊丸桐子大每服七十丸空心

酒下日二服 經驗方

治婦人漏下五色羸瘦者但燒鱉甲令黄色爲末清酒調服方寸匕日二服 劉禹錫方

治療下血一二十年者取地榆鼠尾草各二兩水二升煮半升頓服不斷水清屋塵飲一小盃投之不過重作乃愈 圖經本草

治婦人水戸腫痛用烏賊魚骨燒灰爲末酒下方寸匕日三服 千金方

姙娠門 附胎漏

治姙娠胎動不安如重物墜冷如水用川芎當歸共兩味三錢水煎食前溫服

治姙娠二三月胎動不安防其欲墜用杜仲去粗皮姜汁炒去絲續斷酒浸各二兩爲末煑棗肉丸桐子大每服七十丸米飲下 衛生易簡方

治姙娠胎動不安及日月未足而欲産取菖蒲根搗汁一二升服之安 本草集要 ○又方以銀器煑葱白作羹食之即安 奇效單方 ○又方白术黄芩等分爲末每服二錢空心米飲調服 救民易方

治姙娠或已不活欲下胎燒斑猫末服一枚即下

治姙娠日月未足而欲產者蒲黃如棗許大以井花水服○又方以蛇蛻一條欲痛時絹袋盛遶腰繫之 子母秘錄

治婦人腹鬼胎及血氣痛不可忍用斑猫去頭足翼製延胡索炒三錢為細末每以溫酒調下半錢候胎下為度 良方補遺

治婦人虛羸有鬼胎癥塊經候不通取芫花根三兩右剉炒令黃色為細末每服一錢桃仁煎湯調下當下惡物

治胎忽因倒地舉動擎重促損腹中不安及子死腹中川芎末酒服方寸匕須臾一二服即出續千金方

治姙娠兒在腹中哭用多年空屋下鼠穴中土一塊令婦含之即止○又方以黃連煎汁令母服效

治姙娠咳嗽不止用黃栢桑白皮爲末每服二錢水一盞糯米二三十粒煎七分食後温服

治姙娠咳嗽用貝母去心以麩皮拌炒令黃去麩爲末研沙糖拌勻丸如雞頭實大含化一丸

治姙娠瘧疾用帶皮老生姜淨洗薄切搗爛取自然汁一中盞用紗帛罩定露一宿次日天將明時分

攪匀頓服立效

治姙娠洞泄寒中用乾姜厚朴右等分先杵令爛水拌同炒令乾再爲末水煮麪糊爲丸桐子大每服五十丸食前米飲下

治姙娠六七月傷寒壯熱赤斑變作黑斑下血以葱白一把水三升煮熟服之令盡汗出

治姙娠時行傷寒鯽魚一頭燒灰末三指撮以苦酒服之被覆取汗良

治姙娠傷寒用鯉魚一頭燒灰肴服方寸七令汗出

蕪治乳無汁子母秘録

治姙娠傷寒中風表虛自汗頭項强身熱惡寒用四物湯加蒼术細辛煎服

治姙娠傷風寒頭疼身痛發熱或自汗或無汗但在表不渴者並宜發散用九節菖蒲二錢半蒼术一錢半甘草一錢共四錢作一服水一盞姜五片煎八分葱一根取汗尤妙

治姙娠傷寒大熱悶亂燥渴恐傷胎臟用蛤粉五錢嫩卷荷葉焙乾一兩右為細末每服二錢蜜少許水調下 衛生易簡方

治姙娠熱病心悶取葛根汁二升分作三服 傷寒類要

治妊娠遭時疫熱病令子不墮取皁下土水和塗臍乾則易之酒調亦妙　南陽活人書

治妊娠得時疾令胎不傷以鷄子七枚納井中令冷破呑之　子母秘録

治妊娠一切有熱內外諸症亦能護胎用伏龍肝水底泥以冷水調細細服之

治妊娠心痛取青竹皮一升以酒二升煑三二沸頓服○又方破生雞子一枚酒和服之○又方蜜一升和井底泥泥心下

治妊娠心痛煩悶用麻子一合研水一盞煎取六分

去滓非時温服聖惠方

治姙娠心腹痛不可忍以鹽一斤炒令赤以三指取一撮酒服瘥產寶方

治姙娠中惡心腹痛新生雞子二枚破著杯中以糯米粉和如粥頓服亦治胎動不安○又方用桔梗一兩細剉水一盞生姜三片煎至六分去滓非時温服聖惠方○又方用黄芩香附爲末米飲調服

治傷胎血結心腹痛取童便日服二升即安楊氏產乳

治姙娠卒胎動不安或腰痛或胎轉搶心或下血不止取艾葉如雞子大酒四升煑二升分二服良葛氏

方

治婦人因舉重胎動出血取黃連末酒服方寸匕日三服孫尚藥

治胎上逼心熱及腰痛下血以麴半斤擣碎和熱水絞取汁三中盞無時分五服溫服

治姙娠腰痛搶心或下血取葱白不限多少煎濃汁飲之瘥楊氏產乳○又方用檳榔一兩爲末不時葱白煎汁調一錢匕服千金方

治姙娠卒腰痛方以鹿角截五寸燒令爛赤入酒一大碗中浸之冷又燒赤又浸如此數過細研空心

酒調鹿角末方寸匕服產寶方一方用大豆一升酒三升煑取七合去滓空心服亦治常人腰痛食醫心鏡

治姙娠月未足似欲產腹中痛用知母二兩末蜜丸桐子大不計時粥飲下二十丸聖惠方

治姙娠損動後腹痛冬麻子一升杵碎炒以水二升煑取汁熱沸分爲三四度

治姙娠忽腹絞痛用棗子十四枚燒焦爲末童便調服梅師方

治姙娠因爭鬪或跌撲從高墜下或爲重物所壓觸動胎氣腹痛下血胎動極熱服此胎氣得安用硇

砂一兩於熨斗內炒令熱透去皮取仁爲末每服二錢熱酒調下如不飲酒艾塩湯或米飲下

治妊娠血痢用阿膠二兩以酒一升半煑取一升頓服産寶方

治妊娠下痢膿血及咳嗽用白朮黄芩當歸等分爲末每服三五錢水煎去滓食前服加桑白皮止嗽

治婦人胎前産後赤白痢用敗龜板一枚酥炙擣爲末米飲調一二服

治妊娠下痢赤白及泄瀉腹肚疼痛用黒豆三十粒甘草二寸半御米殼二箇去蒂膜炒㕮咀作一服

水二盞姜三片煎八分去滓食前温服婦人良方

治懷胎下痢赤白絞刺疼痛用烏雞子一枚就頭作一竅去清留黄在内黄丹一錢入前竅内外以重紙封裹再用黄泥薄固濟火内煨取焙乾為末每服二錢米飲調下一服愈者是男二服愈者是女奇驗備急方

治姙娠遺尿不知出白薇白芍藥等分為末每服三錢食前調服醫林集要方

治姙娠無故尿血用龍骨一兩蒲黄五錢右研細末每服二錢酒調日三服○又方用山梔子仁炒一

合爲末米飲調下或作丸服亦可萬氏家抄方○又方用阿膠熟地黄右等分爲末空心粥飲調二錢服之

治妊娠無故卒下血不止取阿膠三兩炒擣末酒一升半煎令銷一服愈矣梅師方○又方以阿膠二兩擣末生地黄半斤擣取汁以清酒三升絞汁分三服治妊娠卒下血有驗梅師方

治妊娠尿血取黍穰莖燒灰酒服方寸匕

治妊娠卒下血燒秤錘令赤投酒中服效亦治腹滿下血外臺秘要

治姙娠小便不利用蕪菁子爲末水服方寸匕楊氏產乳方〇又方及水腫洒洒惡寒動轉前痛用赤茯苓去皮葵子各等分爲末每服二錢不拘時以新汲水調下

治姙娠小便不通用蔓荆子爲末每服二錢食前煎濃葱湯調服良方補遺

治姙娠小便不通臍下妨悶心神煩亂用葵子研榆白皮切各一兩右以葱白三莖水二盞煎服

治姙娠小便不通醫作轉脬用藥治不愈此方屢效用檳榔赤芍藥等分右㕮咀每七錢水一盞半煎

八分去滓食前温服○又方用滑石末杏仁等分先搗杏仁令爛次入滑石以軟飲杵和爲丸如小豆大每服二十丸白湯下○又方搗滑石末水和泥臍下二寸外臺秘要

治妊娠小便不禁用海螵蛸十二箇炙右爲末每服二錢空心米飲調下

治妊娠患淋小便澁水道熱不通用車前子五兩葵根切一升二件水五升煎取一升半分三服梅師方

治妊娠從脚上至腹腫小便不利微渴引飲用猪苓五兩爲末以熟水調食前服方寸匕日三服

治姙娠忽然下黄汁如膠或如豆汁胎動腹痛用粳米五升黄芪六兩右水七升煎取二升分爲四服

治姙娠患子淋小便數多熱多痛及足煩小便少出取地膚草三兩右細切水四升煮取二升半去滓分三服日三服

治姙娠欲去胎以麥糵二兩水一盞半煎至一盞分三温服即下加蜜神效產寶方

治姙娠滑胎用牽牛一兩赤土少許細研末每覺轉動痛頻煎榆白皮湯調下一錢匕

治姙娠胎藏不安幷產後諸疾宜服杜仲炒白术爲

末棗肉丸彈子大每服一丸細嚼糯米飲下勝金方

主婦人始覺有娠養胎轉女成男取雄黄一兩絳囊

成帶之左背上千金方

治姙娠後不轉動用阿膠炒一兩桑寄生半兩爲末

以酒一升煮五沸下生雞卵一枚投酒中分二服

空心食前溫服

治姙娠令易產羚羊角一枚刮尖爲末以酒調服方

寸匕產寶方

治婦人胎漏下血手足厥冷欲死用生艾汁二盞牛

皮膠白蜜各二兩煎一盞半稍熱服之如無生艾

不煎章文一方加刮下竹青一塊同煎〇又方取生姜汁年少者十兩年老用二十兩鴨旦一枚打破入姜汁内攪勻二味煎八分蒲黄三錢再煎五七沸空心温酒服

治懐胎下血搗生乾地黄熟地黄爲末每服三錢温酒調下衛生易簡方

治姙娠下血名胎漏用猪肝細切以酒一升煑熟同服奇效单方

治胎漏下血用生乾地黄乾姜等分爲末每服二錢温酒調下

治妊娠漏胎生地黄汁一升漬酒四合煑三五沸服之不止又服百一方

治妊娠血下不止名曰漏胞血盡子死乾地黄擣末以三指撮許酒調服不過三服瘥千金方○又方時時服竹瀝隨多少取瘥止

胎產門

治倒產逆生用原蚕蛾子燒研末以酒飲服二錢子母秘錄

治倒產子死腹中以艾葉半斤酒四升煎取一升服即下子母秘錄○又方搗當歸末酒調服方寸匕立下

催順俗名橫生倒養用葱七莖只將六莖搗爛同那一莖不搗者煎湯入桶內令產婦跨坐桶上將那一莖不搗的葱吃下即順生

催生立效用杏仁一枚劈開作二片一片硃書日字一片硃書月字仍合之以紅絨札定酒吞下不能

飲酒白湯下○又方用魚膠一寸燈燭上燒存性

碗合定出火毒為末酒下難生者易逆生者順

催生應急以好墨新汲水濃磨服半盞其甲上裹兒即

生下良方補遺

治横生用兔系子搗末每服一錢米飲調服即順下

救民易方○又方將斧頭燒紅淬酒服之即順下○又

方生取柘木枝有刺者佳一握約長五七寸六七

莖切碎和生甘草五寸ㄙ前水服令直下加攝注[illegible]○[illegible]

又方不得順出搗車前子末酒調服二錢[illegible]

治横生倒產用黃葵花炒末或子酒服方寸匕即順

下 千金方

治横生難産取蛇蜕燒灰存性每服一二錢煎榆白皮湯調服立順下 十全博救

治産逆横生不得出取梁上塵酒服方寸匕即順生

催順孕婦横生逆産諸藥不效但灸右脚小指尖頭三壯艾炷如小麥大下火立順即下

治難産逆生以手中指抹釜下墨畫兒足下即順生 外臺秘要方

○又方以真黄丹刀圭塗兒足下即順生

治逆産横生及胎前産後虚損月候不調崩中用白芷百草霜等分爲末每服二錢以童便醋各少許

調匀更以熱湯化開不過二服皆瘥杜壬方

治逆產兒足先下急以塩塗兒脚心又可急爪搔之以塩摩產婦腹上即順生千金方

治逆生其證孕婦欲產時遇腹痛不肯舒伸行動多曲腰眠卧忍痛其兒在腹中不得轉動故脚先出謂之逆生須臾不救子母俱亡用烏蛇蜺一條蟬蜺十四枚血餘即胎髮一毬各燒灰研末每二錢酒調下併進二服仰卧當時兒即順生○又方如兒手脚先下將小絹針於小兒脚心處刺三五針急用塩少許塗脚心刺處即時順生子母俱活

治兒死腹中不出研朴硝三錢以童便調服立下（良方補遺）○又方急取新糞塗產母腹上即下（良方補遺）○又方取雄雞糞二十一枚水二升煎取五合下米作粥食之即出（續千金方）○又方用硃砂一兩以水煮數沸研末以酒調服立出（十全博救）○又方用榆白皮濃煎汁服二升即下（衛生易簡方）○又方搗益母草絞取汁服之立下○又方製過珍珠一兩爲末酒調服立下（製法將珠入豆腐內相合煎熟取出易研如粉可用）○又方搗官桂麝香研末酒調服三錢即下（袖珍方）

催生保安遇仙方治婦人坐草艱難用蓖麻子去殼

十四粒硃砂雄黄各一錢半蛇蜕一尺煅右爲細末粥糊丸彈子大臨產時先用川椒湯淋洗臍下納藥一丸於臍中仍以蠟紙數重覆藥上以軟帛拴繫如産下急取去藥一丸可用三次攝生衆妙方

産婦坐草時取路傍草鞋一隻用牛鼻絡小耳繩燒灰温酒調服如得左足者男右足者女覆者兒死側者兒驚自然理也

催産難神驗用滑石二錢枳殼三錢甘草一錢水一盞煎服即下聖惠方○又方用敗筆頭三箇燒灰爲末新汲水調服即下嶺南衛生方○又方取臘月兔頭

骨一枚燒灰研爲極細末以葱白煎湯調二錢服之立産下良方補遺○又方取酸漿草實吞之立産○又方用秤錘炭火燒赤投入酒中乘熱飲酒即産本草集要

催産難逆横不順取其父名書其足上即順生良方補遺

催産二三日不産或横生倒産或胎死不下用地龍净洗瓦上焙乾陳皮蒲黄等分另爲末各一錢新汲水調下極驗衛生易簡方○又方用蓖麻仁二枚各手握一枚須臾立下救民易方○又方以水吞槐實七粒即産○又方吞皂角子二粒即下○又方研麝

香一錢水調服之立下續千金方○又方燒鱉甲擣末酒服一匕立下

治產難魚鰾三寸燒爲末酒下橫者令直下奇效單方○又方用好酒一盞香油四兩蜜二兩鍋内同煎三五沸取出火待冷定服立下

治難產礙胎在腹中如已見兒並胎衣不出胎死取蒺藜子貝母各四兩爲末以米飲調一匙相人去四五里不下再服

治產難令易生取榆白皮乾爲末臨月日以熟水調服三五錢產時極易產下兒身塗之信其驗也戴氏

易方

治產難及胞衣不下及兒死腹中欲絶者用半夏白歛各一兩爲末酒服一錢若難產只一服橫生二服倒產三服兒死四服極效 備急方 ○又方用貝母七枚爲末酒調下 本草方

治臨產下痢不限多少用梔子仁燒灰爲末空心熱水調服一錢甚者不過五服 勝金方

治產子舌出不收以硃砂傳其舌乃令作產兒狀用二女扶之壁外潛堆盆盎令墮地聲響使婦聞驚其舌則收有人傷寒舌出不收用梅花腦摻舌上

應手而收備急方

治產經數日不生或子死腹中產母欲死以瞿麥濃煎汁立出千金方

治婦人肥壯妊娠欲恐產難預用枳殼四兩甘草二兩爲末每日空心以茶清調服一錢七產時則易本草集要

治胎衣不下用栝蔞一枚搗爛酒與童便各半盞煎七分去滓温服補遺方○又方取夫單衣盖井上立出千金集驗方○又方用蓖麻仁十四粒研爛以少白麪和成膏貼足心衣下即洗去腸出即以此膏貼

塗頭頂上面腸神效〇又方即將洗兒湯一盞與服莫令知〇又方用赤小豆一升炒過水三升煮二升去豆飲汁立下〇又方用本人手足指甲燒灰研末酒調服即下〇又方用花蕊石硫黃煅少許爲末熱童便調服一錢立下衛生易簡方〇又方令產婦啣自己髮尾於口中令嘔噦即下衛生易簡方〇又方雞子清三箇去黄以好醋一合和之暖服即下〇又方赤石脂研末童便調三錢服即下〇又方取竈下土一寸研碎用好醋調令相得塞於臍中續煎取甘草湯服之即出產寶方

治難産取夫陰毛二七莖燒以猪膏和丸如豆大吞之兒手即持丸出神效

治胞衣不出方男吞小豆七枚生女者十四枚即出　涇陽醫士王玎方

催生丹治産婦生理不順臨蓐艱難十二月兔腦髓去皮膜研乳香研如粉一分母丁香末一錢麝香細研一字右研勻用兔髓和圓如雞頭實大陰乾用油紙各封貼每一圓破水後温水下即時産下隨男左女右手握藥出是驗　簡易方

治姙娠子死腹中用黄明乳香先五月五日午時或

歲除夜爲末以豬心血和丸芡實大以紅絹袋盛掛於門上如患者酒磨一丸下亦催生易產簡要濟衆○又方研朴硝三錢以酒調服即下救民易方○又方取雄鼠屎七枚以水研汁服之即下千金方

治妊娠子死腹中其母氣欲絶不出用伏龍肝三錢以水調下其土當兒頭上戴出甚效千金傳救方○又方以水銀二兩吞之立出梅師方

治妊娠子死腹中屎臭舌口出冷氣指甲青用天花粉爲末逆流水調五錢服即下備急方

治妊娠胎死腹中若胎衣不下衝心上痛迫用墨三

寸擣末酒調服痛止胎衣幷下肘後方

治姙娠胎死腹中用鹿角屑二三方寸匕煮葱豆豉湯合服之立出梅師方

產後門

治婦人三十六種風及腹中血氣刺痛用紅花一兩酒二盞煎八分一盞頓服 備急方

治婦人血風攻腦旋倒地不知人事用蒼耳草不拘多少陰乾爲末不拘特服一錢效

治婦人一切風吹頭目痛眩用天南星一大枚地上掘一坑穴燒令赤以南星安內用醋一盞連盞蓋之封固候冷取出爲末每服一字溫酒調下重者每服半錢 勝金方

治婦女中風血熱煩渴者以紅花子五合微炒搗碎

日用一匙水一升煎七合細嚥之 本草圖經

解風熱疎積熱風壅消食化氣導血大解壅滯大黄四兩牽牛四兩半生半熟爲末煉蜜丸如桐子大每服茶下一十丸如要微動喫十五丸冬月中最宜服並不搜攪人 經驗後方

治產後中風用生地黄五兩生姜五兩取汁交互相浸一夕漬盡爲度次日各炒黄乾爲末酒調服

治產後中風寒遍身冷直口噤不識人白术四兩以酒三升煎取一升頓服 產寶方

治婦人中風口噤舌縮用荊芥子一升細研醋三升

煎取一升傳頷煩下立愈聖惠方

治産後中風口噤手足瘛瘲如角弓狀亦治血暈四肢强直用荆芥炒爲末每服三錢以豆淋酒下童便亦可其效如神萬氏世抄方

治産後五七日中風咬定牙關不省人事用桃仁一兩荆芥穗二兩爲末每服三錢水一盞煎八分温强開口灌之須臾醒極驗

治産後中風語澁四肢拘急腹中刺痛用羌活三兩爲末每服五錢水酒各半盞煎温服

治産後惡物不出上攻心腹疼痛取伏龍肝研爲細

末每服三錢酒温調服救民易方
治產後血上心已死用真鬱金燒存性爲末以温米
醋調灌下即活聖惠方
治產後餘血不盡逩上冲心煩悶腹痛擣生藕汁一
升飲之即下梅師方
治產後餘血攻心或下血不止面青身冷取新雞血
一盞飲之二三服極妙衛生易簡方
治產後餘血攻心或下血不止心悶面青身冷氣欲
絶用新羊血一盞飲三兩即愈梅師方
治產後惡血衝心或胎衣不下腹中血塊等用錦文

大黄一兩杵羅爲末以好醋半升同熬成膏丸桐子大患者以溫醋七分化五丸服之良久下之千金方

治產後血上衝心及穢汚不止用生姜五兩切以水八升煮三升分三服楊氏產乳方

治產後敗血不散兒枕塊硬疼痛發渴及新產乘風寒內搏惡露不快臍腹堅痛用紅花鬼箭去木當歸炒各一兩右㕮咀每服五錢酒一盞煎七分去滓食前服

治產後惡血不盡或經月半歲升麻三兩清酒五升煎取二升半分溫再服當吐下惡物千金翼

治産後血不去取麻子一升酒五升漬一宿明旦先食去滓服一升不瘥夜再服千金方

治産後血入肺經面黑發喘欲死者用人參一兩爲末蘇木二兩以水二盞煮取一盞去滓入調人參末隨時加減服神效

治産後瘀血不盡血流入腰脚腿疼痛脑滿氣急兩脇痛者用生姜十片淡竹葉一升以水二升煮取一升去滓分温二服

治産後泄血不止無度及腹痛脑膈滿悶搗姜黄末酒調服方寸匕日三四服

治産後血不止虚羸迨死亦治血氣用蒲黄二兩水二升煎取八合頓服 産寶方

治婦人血崩用舊敗蒲席燒灰酒調二錢匕服之效 勝金方

治産後暈倒不省人事用荆芥醋煎乗熱裝小口瓶内對産婦鼻口薫之冷卽易 千金方

治産後暈絶用半夏爲末以冷水丸如豆大塞鼻孔中卽活此扁鵲法也 本草集要

治婦人内傷痛楚血暈及臍腹疞刺者没藥一味研細温酒調服一錢便止 本草圖經

治產後血暈昏迷不省衝心悶絶用五靈脂半生半炒二兩爲末溫酒調下二錢口噤者强開口灌之須臾卽醒千金集驗○又方用黃露枝童便酒煎服屢效

治產後血暈血入心經語言顛倒健忘失志及產後百病用沒藥血竭等分爲末纔產下便用童便與酒各半盞煎一二沸調下二錢良久再服其惡物自循下行更不衝上免生百疾

治產後血暈心悶氣絶紅花一兩搗末分作二服酒二盞煎至一盞服之口噤强開灌入卽醒簡要濟衆方

治產後血暈用童便磨墨汁灌之妙○又方取乾荷葉水煮汁服之亦效

治產後血暈不知人事及狂語用麒麟竭一兩細研爲末非時温酒調二錢匕服聖惠方

治產後瘀血不下取桃樹上乾枝燒灰研末水調服之即下奇效单方

治產後血崩用香附子二兩炒赤蓮蓬殼燒存性研末米飲調服

治產後崩中下血不止取菖蒲一兩半剉酒二盞煎取一盞去滓分三服食前温服千金方

治產後下痢取羊腎脂炒薤白空腹食尤佳○又方炙肥羊肉令熟食之亦佳○又方用荊芥穗於盞內燃火燒存性研末入麝少許以沸湯調下此藥雖微能愈大病宜勿忽之

治產後氣痢不止用青木香三分訶子麪裹炙黃去核八分右爲細末空心米飲調服方寸匕一方有硇砂仁末入蜜一匙

治產後痢用沒石子一箇煆為末和酒服方寸匕冷以酒服熱以米飲調下 產寶方

治產後痢而渴飲無度用麥門冬烏梅肉以水煎分

服細細呷之

治産後血痢小便不通臍腹痛生馬齒莧搗取汁三合稍煎下蜜一合攪服

治産後大便不通用橘紅為末空心溫酒調二錢一服便通

治産後小便淋澁不通用葵子一二合水煎三五沸入朴硝少許再沸飲之即通

治産後諸淋用紫金皮半水半酒煎服 良方補遺

治産後遺尿不知出用白薇芍藥等分為末酒服方寸匕服七日愈

治婦人卒不得小便紫菀末以井花水調服三撮便通小便血服五撮立止千金方

治婦人無故尿血龍骨一兩以酒調方寸匕空心日三服千金方

治產後脫腸偶因用力太過努出子腸不收取樗根皮葱白花椒煎湯薰洗即收衛生易簡方

治產後脫腸不收用香油五斤煉熟盆盛候溫令產婦坐盆中良久用皂角末少許吹鼻令作嚏立收神效

治陰脫用鐵粉精羊脂共攪令稠布裹炙熱熨推納

之聖惠方○又方用蛇床子盛絹袋中蒸熨之亦治陰痒千金方○又方取乾人屎燒令研末酒調服方寸匕即收千金方○又方燒兔骨爲末傅之○又方用鯽魚頭焙乾爲末半服半梳即收上衛生易簡方

治產後陰腫用桃仁燒研爛傅之即消○又方用乳香末和葱白同搗塗腫上立消○又方用陳皮爲末以酒調服亦可

治產後子宮不收用荆芥穗藿香葉臭椿白皮右㕮咀煎湯薰洗即入萬氏家抄

治產後陰道開不閉用石灰一斗炒之以水一斗投

灰中適寒溫入水中坐須臾更作 肘後方

治產後腹痛用天台烏藥杜牛膝同爲末炒烏豆淋酒調下 良方補遺

治產後腹中瘕痛用桂末溫酒服方寸匕日三服即止 子母秘録

治產後腹痛及血下不盡用澤蘭煎湯服亦妙 子母秘録

〇又方麻黄去節杵末酒服方寸匕一日二三服血下盡止

治產後腹痛因氣壅而痛者用烏藥當歸等分爲末每服三錢空心以黑豆淋酒調服一方用白滚水

服

治産後腹痛煩滿不得卧用枳實略燒黒芍藥等分爲末每服方寸匕日三服惟産奇方

治産後腹中鼓脹不通轉氣急坐卧不安以麥蘖末一合和酒食良久即通兵部手集

治新産後腹中如弦常堅絞痛無聊用白蜜一升當歸一兩煎溶二沸適寒温頓服

治産後遍身疼痛用羌活獨活以酒浸三兩日煖不時而飲

治婦人小腹痛面青或黄或赤或黒不能喘息用苦

參一兩爲末醋一盞半煎八分作二服〇又方用禹餘糧右爲末每服二錢七米飲調服日二三服極效 衛生易簡方

治產後蓐勞發熱用豬腰子一隻去白膜切作柳葉片以塩酒拌先用粳米一合入葱椒煮粥塩醋和將腰子鋪盌底以熱粥蓋之如作盒生狀空心服

治產後寒熱心悶不識人汗出極脹百病羚羊角燒末酒服方寸七 子母秘錄

治產後諸虛不足發熱盜汗用人參當歸等分爲末以豬腰子一隻去脂膜切小片子以水三升糯一

半合葱白三枝煑米熟取清汁一盞入藥二錢煎至八分不拘時候温服養老書

治産後遍身如栗顆熱如火者細研桃仁以臘月猪脂調塗傅日易千金方

治産後臍下冷備憊腹氣脹滿丹田惡露停積所致用當歸半兩乾漆二錢半爲末煉蜜丸桐子大空心酒下二十丸

治産後驚悸亂道言語如見鬼狀精神不定者研好硃砂一錢酒調下局方

治産後霍亂吐痢腹中疞痛用良姜當歸草豆蔻等

分爲末每服二錢米飲下

治産後補虛益血用當歸羌活各一兩延胡索半兩右爲末用猪腎一枚切作片以水一盞入藥末二錢同煎至七分同猪腎食之

治産暈絶取麯末水酒服方寸匕不瘥更服即瘥千金方

治婦人自哭自笑用紅棗燒存性米飲調服備急方

治婦人臟燥悲傷欲哭象鬼神所附者用小麥一升甘草三兩大棗五兩每服水二盞煎一盞服

治婦人胞轉用滑石末每服煎葱湯調下一錢奇效單方

治婦人久瀉諸病通治用香附一斤分爲四分一酒

浸一醋浸一童便浸一盐湯浸皆浸七日取出晒乾爲末每服三錢空心好酒調下 萬氏家抄

治産後煩悶不能食用白狗骨一味燒灰令研以水服方寸匕 千金翼

治産後心悶手脚煩熱氣力欲絶血暈連心頭硬及寒熱不禁延胡索炒搗爲末酒服一錢匕 出産書

治産後虚羸盗汗時時嗇嗇惡寒用茱萸一兩以酒三升浸半日煮服 千金翼方

治産後氣逆用青皮五兩細剉每一兩水二盞煎一盞去滓頓服 經驗方

治產後更無他疾，但多嘔逆不能食，用白术五分，生姜六分，右切，水酒各二升，煎一升，分三服。

治產後咳逆，氣亂心煩，用乾柿一箇，碎切，水煮熱食。產寶方

治產後不語，搗生㯿末，每服一錢，以熱水調下。

乳門

治乳少用括蔞爲末每酒調方寸匕或米飲日三服衛生易簡方○又方用三稜三箇搥碎水二碗煎至一碗洗妳取汁極效○又方用川山甲以土炒王不留行等分爲末以温酒調一錢服得汗出即下

治乳不下鯉魚頭燒灰研末酒調服單方○又方用川山甲拌土炒焦去土擣末天花粉王不留行各等分每服三錢温酒下○又方擣石膏三兩水二升煑之二沸三日飲令妙子母秘録○又方取萵苣三五枚煎湯一二服乳下備急方

治産後乳無汁用猪蹄一隻通草四兩水煮作羹食之最妙

治婦人吹乳用皂角燒灰研末同蛤粉以酒調方寸七服（備急後方）○又方用樺皮燒灰存性爲末每服三錢食後熱酒調服（儒門事親方）○又方用樺皮燒灰油胡桃燒灰熱酒調三錢食後服之（攝生衆妙方）○又方用猪牙皂角一枚炙黄色爲末酒糊丸硃砂爲衣不拘時好酒送下○又方用頭垢丸芡實大以硃砂爲衣每一丸食後茶清下○又方用棗七枚去核入鼠糞七粒火煆存性研末入麝少許温酒調服

○又方用雞糞半兩爲末每服一錢温酒調下奇效

單方○又方用鹿角樺皮葛條各燒灰存性爲末等分酒調服效

治婦人吹乳不痒不痛腫硬如石用青橘皮一兩湯浸去瓤焙乾爲末非特温酒調分服

治婦人吹乳初發一二日取男梳頭垢名梳霜丸如小豆大臙粉爲衣每服七丸熱酒下被覆汗即愈經驗方

治乳癰吹妳用菉豆粉一兩甘草五錢右爲末每服三五錢漿水調下

治乳癰證有兒者名爲吹奶有孕者名爲内吹奶初覺結滯作痛用白芷貝毋去心各等分爲末以好酒調服若無乳不行者加漏蘆煎酒調服即行醫林

集要

治乳癰宜可服用大黄甘草等分右㕮咀每服五錢水一盞半煎七分食遠温服

治乳癰初發即散已潰止痛不能忍者用陳皮湯浸去白晒乾麩炒微黄色爲末入麝香少許每服二錢以酒調服

治婦人乳癰用銀杏半斤將四兩同酒研吃將四兩

水研傅癰上備急方

治婦人乳癰取萱草根搗爛敷患處乳頭不可敷盡留一孔敷萱汁即時用熱滚酒洗下以被蓋覆出汗就效

治乳癰不消用白麪半斤炒令黄色以醋煮爲糊塗於孔上即消産寶方

治乳癰腫痛用陳米粉炒黄黑色爲末醋調膏塗傅留孔尤佳

治妒乳乳癰用丁香搗末水調方寸匕服梅師方

治乳癰搗生地黄汁傅之熱乾即易無不效也梅師方

治乳癰初發用貝母搗爲末每服二錢温酒調下即以兩手覆按於卓上垂乳良久自通

治婦人結乳用鱔魚皮燒灰每服二錢空心温酒下

治婦人乳瘡用白麪炒黄色以醋和如泥塗之如有瘡頭莫塗留孔出毒奇效单方

治妬乳取梁上塵醋和塗之亦治陰腫外臺秘要

治乳房腫痛栝蔞黄色老大者一枚小者二枚熟搗以白酒一斗煑四升温服一升日三服

治婦人乳腫以馬尿塗洗立消奇效单方

治乳石發動燥熱煩渴不止用滑石半兩研末細研

以水一鍾絞如白飲服之聖惠方

治乳腫痛用香附子搗末醋煮厚傅即消本草集要

治乳硬作痛左採嫩桑葉搗膏貼患處此證四十以下可治四十五十以上不可治治之則死不治則得終其天年

治㿗疝用葱白連鬚三枝甘草一寸搗爲泥丸如彈子大川粉爲衣更入中心每服一丸好酒化下熱服覆取微汗即愈○又方蒲公英金銀花麻黄各三錢吹咀葱白生姜引水一鍾煎八分去滓晚服取汗即愈涇陽醫生王玎方

傳信尤易方卷之三　七

傳信尤易方卷之七終

傳信尤易方卷之八

易州醫官鄭[illegible]檢閱
涇陽醫士王[illegible]校正

嬰孩門

治小兒合殼症初生小兒肛門爲脂膜所蒙多不知名爲草迷氣下不通故上無聲啼急用簪透通谷道其聲即出

治初生小兒產下有皮膜如榴中膜裹或遍舌根可以甲刺破令血出飛過白礬細研傳之半菉豆許若不摘去兒必啞 本草方

治小兒初生落草不作聲者取冷水灌之須臾自當啼及以葱白細鞭之即啼

治小兒初生用硃砂細研以蜜調塗口中令吮之良　本草集要

治小兒初生下即死用法可救活急看兒口中懸癰前腭上有胞以手指摘破用帛揑拭血令淨若血入喉即不可治　本草集要

治小兒初生大小便不通腹脹欲絕者急令婦人溫水漱口了咂兒後心并臍下手足共七處每一處凡三五次漱口吸咂取紅赤爲度須臾自通不爾無生意有此症遇此法可謂再生

治小兒初生不飲乳及大小便不通用葱白一寸破

作四界以乳汁於砂銚内煎灌之立效

治小兒初生口噤不開用赤足蜈蚣一條去足炙令焦細研爲末每用半錢以豬乳汁半錢和勻分三四次灌之

治小兒口噤不乳用蟬蛻十四枚去嘴足全蝎十四箇去毒右爲極細末入輕粉少許和研用乳汁調化服

治初生小兒至七日口噤以牛黄少許細研淡竹瀝調下一字灌之更以豬乳點口中瘥

治小孩初生三日去驚邪辟惡氣牛黄一大豆許細研

以赤蜜酸棗許熟研以綿蘸之令兒吮之令盡一服（姚和衆方）

治小兒口噤不開者用生天南星去皮臍研為極細末龍腦少許和合以指蘸生姜汁於大牙根上摻立開

治小兒卒中風口噤不下一物取雀屎如麻子丸之飲下即愈鷄屎白亦佳

治小兒口中涎出不止以白羊糞入口中即止

治小兒撮口病取夜合花枝濃煎汁拭口幷洗妙（子母秘錄）○又方用鹽豆豉臍上艾灸之（子母秘錄）

治小兒撮口及發噤甘草細剉水煎服之令吐痰涎後乳食之○又方用晚蠶蛾為末二枚炙令黃為末蜜和傳兒口舌內簡要濟衆

治小兒臍風撮口用白殭蚕炒去系嘴研末每服一二分姜汁調抹口內乳汁送下蜜和付口中亦好救民易方

治小兒未滿月驚着似中風欲死者用硃砂以新汲水濃磨汁塗前後背心上立瘥斗門方

治小兒重舌舌上生瘡涎出以蒲黃傳之三五度良千金方○又方用鹿角末細篩塗舌下日三度姚和衆方

治小兒卒重舌用釜下土酒和塗舌下　子母秘錄

治小兒舌腫羊乳汁飲之瘥　千金方

治小兒重舌用蜂房燒灰細研酒和膏傅兒舌下日三四次用之

治小兒重舌欲死以亂髮燒灰細研半錢傅舌下日不住用之　簡要濟衆

治小兒臍風濕以鹽二兩豆二合相和爛搗捏作餅子如錢大安新瓦上炙令熱以熨臍上瘥亦用黃栢末傅之　聖惠方

治小兒臍瘡久不瘥用馬齒莧搗汁傅之○又方用

伏龍肝為末傅之聖惠方　○又方用龍骨燒灰細研傅之聖惠方

治小兒臍風瘡久不瘥當歸末傅之良子母秘錄

治小兒臍瘡不合用黃栢末塗之

治小兒臍腫用桂心炙令熱熨之日可四五度即消姚和衆方　○又方先煎荊芥水洗了取葱葉一片火上炙過地上出火氣以指甲刮薄内搭放腫處次日便消

治小兒臍中汁出不止幷赤腫用礬石飛過細研傅之聖惠方

治小兒臍赤杏仁杵如脂傅臍患處子毋秘錄〇又方用杏仁杵如脂納體中相和傅臍腫上

治小兒初出遍身無皮俱是赤肉掘土坑臥一宿即長皮〇又方用白早米粉乾撲於上候皮生乃止

治小兒牙關不開用天南星煨熱紙裹未要透氣將南星斜角取一豆大安兒鼻孔中須臾牙關立開華氏方

治小兒重腭重齒腫痛燒蛇蜕末傅之效

治小兒初生七日若有臍風必自發出青筋一道行至肚却生兩岔待行至心不治必死知者常視其

青筋初發速照青筋頭上灸三壯或行至生兩岔處頭上截灸六壯青筋自消兒必活矣○又方小兒初生七日急患臍風撮口百無一活父母坐視其死而無救良可憫哉一秘法極有神效世罕知之凡兒患此者齒齦之上有小泡子如粟米狀急以温水蘸青熟綿裹手指輕擦破即開口便安不用服藥 以上涇陽醫士王玨方

治小兒五軟用白殭蚕不拘多少為細末三歲兒每服半錢薄荷酒下

治小兒顖門陷下不平滿用黃狗頭骨灸黃為末雞

子調傅 備急方

治小兒顖門不合用防風一兩半栢子仁白芨各一兩為末以乳和傅顖上日一十日知二十日愈

治小兒頭骨縫開不合名曰解顱用蛇蜕炒焦為末用豬頰車中髓調傅頂上日三四度乆則自合〇

又方用驢骨燒灰研末以清油調傅頭縫中

小兒諸症門

治嬰孩小兒虛秘用枳殼甘草各一錢剉散水煎服

○又方用葱白三莖右以水煎去葱入阿膠炒及生蜜溶化食前服 千金方

治小兒自汗盜汗心血液盛亦發為汗收斂心氣用人參去蘆當歸去蘆炒各二錢剉散豬心一箇切三片毎服二錢心一片井水同煎食後遠服 一方加黃芪蜜炙二錢 經驗方

治小兒自汗用白朮五錢小麥一撮煮乾去麥白朮杵極細末用黃芪煎湯食前服 醫林集要

治下小兒乳汁方栝蔞子淘洗控乾炒令香熟瓦上搨令白色為末酒調一匕下合面卧少時

治小兒晛乳不止用鹹豆豉口內含去皮七粒膩粉一錢右為研如黍米大每服三丸或五丸以藿香葉煎湯食前服乳頭吻亦得 千金翼

治小兒吐乳取蚯蚓泥為末米飲調下 千金方

治小兒陰囊忽腫用蟬蛻五錢煎湯洗腫處 斗門方

治皷腫毒方用五倍子擂碎炒如糊糖黑黃色搗羅細末以蜜調傅 救民易方

治小兒熱遊腫用破草鞋亂髮燒灰醋調傅上

治小兒赤遊行於身上下至心即死以伏龍肝末和鷄子白調塗乾再易 子母秘錄

治小兒㖼羊乳一升煎減半分五服牛乳亦得 外臺秘要

○又方擣生姜汁牛乳汁各五合右二味煎取五合分為二服 千金方

治小兒羸瘦餧餧方甘草二兩炙焦研末蜜丸菉豆大每服二丸溫水下日二服

治瘦疾甘草三兩炙每旦以小便煑三四沸頓服之良亦治小兒瘦疾 外臺秘要

治小兒瘧疾燒鷄膍中黃皮為末乳調服男雄女雌

治小兒溫瘧積熱不解取菖蒲搗煎湯浴之良本草集要方

治腦痛搗白芷為末吹鼻中三四次即止斗門方

治小兒乍腮項腫痛用牛旁子荊芥穗甘草炙右㕮咀每三錢水一盞煎服醫林集要

治小兒腮項腫硬或咽喉腫痛用鼠粘子升麻射干㕮咀每三錢水一盞煎服千金方

治小兒客忤項強欲死麝香如豆許細研乳汁調塗口中服之立愈

治少小客忤取釜底土蚯蚓糞等分搗合水和成餅

塗貼兒頭上及胸下良千金方

治小兒卒客忤死炒桔梗末二錢匕米飲調服子母秘録○又方以母月經衣覆兒身上大良○又方燒母衣帶三寸幷髮合乳汁服之○又方取牛口中涎沫乳頭上令兒含食大良

治小兒好喫黄土用乾黄土研細濃煎黄連搜為餅與兒服證類本草

治小兒食土取肉一斤繩繫曳地行數里勿洗以火炙熟與兒食證類本草

治小兒癖氣取三稜作羨粥以米麪為之每日與奶

毋食每日取棗大與小兒喫亦治癇熱作粥兒服之 子母秘録

治小兒腹脹半夏少許洗搗末酒和丸如粟米大每服二丸生姜湯吞下不瘥加之日再服又若以火炮之為末貼臍亦佳 子母秘録 ○又方用胡粉同鹽炒色變以摩腹上兼治皮膚青若不理須臾死 ○又方燒父母指甲研末傅乳頭令兒乳食立消

治小兒心腹胷脇煩滿欲死燒鷄子殼末酒服方寸匕

治小兒腹痛乾啼啼無淚者為腹痛症生姜火煨切

三片白芍藥炒五分甘草炙三分水煎哺服

治小兒諸熱驚癇癖熱消食積殺惡蟲化為水用青黛細研以水調徐徐飲之極效

治小兒身發潮熱用白芷煎湯浴兒須當避風

治小兒盜汗潮熱往來用胡黃連柴胡等分為細末煉蜜為丸如鷄頭實大每服一丸至三丸銀器中用酒少許化開入水五分重湯煑二三十沸放溫食後服 孫尚藥

治小兒心臟風熱昏憒躁悶不能乳食用梨三枚削去皮切片以水二升煎取一升任服 聖惠方 〇又

方用梨三枚，切，以水二升，煑取汁一升，去滓，入粳米一合，煑粥食之。聖惠方

治小兒煩熱，用棗葉煎湯浴之。○又方，取郁李根煑湯浴之。

治小兒乍寒乍熱，燒冬瓜絞汁服之，效。

治小兒身熱，以苦參湯浴兒良。外臺秘要

治小兒寒熱及熱氣中人，豬後蹄燒灰為末，以乳汁調一撮服之，效。傷寒類要

治小兒三歲不能行，用五加皮一兩、牛膝、木瓜各五錢，為末，每服一錢半，粥飲調，次入好酒二三滴調

匀日二服〇又方取雄[illegible]末開戶盜食來以哺

日三便起行 恠証奇方

治小兒不飲乳取雀糞四粒爲末著乳頭飲兒兒大

十枚 本草集要

治小兒鵝口不乳燒鷄內金皮末和服 千金方

治小兒傷寒時氣用桃葉三兩和水五升煑十沸取

汁日五六遍淋之後燒猳鼠糞二枚服效

治小兒初生起膘漿似火燒名胎爛瘡杵桃仁面脂

傳上

治小兒妳痔蒲黃末空心溫酒下方寸匕日三服

治小兒解顱不合生蟹足骨半兩焙乾白斂半兩為末用乳汁合貼骨縫上以瘥為度 全初心書

治小兒咳嗽將白蘿蔔去皮梨去皮削成片水煮熟任意食之 救民易方 ○又方用生姜四兩煎湯沐浴妙 孫真人方 ○又方蜂房二兩淨洗去蜂屎及泥土以火燒末每服一匕飲下

治小兒久嗽肺虛用馬兜鈴一錢以水煎服

治小兒喘嗽以杏仁炒去皮尖五粒研碎桑白皮炙去黃皮一錢姜一片水煎食後服○又方用石膏火煅為末以蜜水調服方寸匕效

治小兒大人欬逆上氣取杏仁三升去皮尖炒令黄杵如膏以蜜一升分三分入杏仁杵令得所更入一分杵如膏又一分作熟止先食含之嚥汁妳子汁服

治小兒大人多年牙齒不生用黑豆三十粒以牛糞火内燒令煙盡細研入麝少許一處研勻先以針桃不生牙處令血出用末少許揩之須避風忌酸鹹物

治小兒牙齒不生用雄鼠糞三十一粒兩頭尖是也每日用一粒揩齒根上至二十一粒當生

治小兒初得月蝕瘡五月蝦蟇燒杵末豬膏和傅之

治大人小兒生月蝕瘡用虎頭骨搗碎同豬脂一升熬成膏黃色塗瘡上效醫林集要○又方於月望夕取兔屎及納蝦蟆腹中合燒燒為灰研末傅瘡上效

治小兒耳後月蝕瘡以黃連末傅之佳聖惠方○又方用胡粉末和塗上

治小兒疳疾腹脹喘急氣粗用木香二錢半蘿蔔子半兩芭豆肉二錢半同炒黃色去豆不用右為細末麪糊丸菉豆大三歲兒三十丸米飲下量兒大小加減用之不拘時

治小兒疳證用木香二錢半黑牽牛半兩生用為細

末麪糊丸菉豆大三歲兒三十丸米飲下量大小加減不拘時服○又方用鼠糞黑牽牛各等分為末三歲兒每服一錢煎橘皮湯調下不拘時量兒大小加減服之奇效良方

治小兒疳疾熱甚面黃髮焦直唇白羸瘦用胡黃連五錢五靈脂一兩為末以豬膽丸菉豆大青黛為衣每服二三十丸薄荷煎湯下小兒方

治小兒疳疾腹大用胡黃連五分去果積阿魏一錢五分去肉積神麯二錢去食積麝香四粒宣黃連炒二錢去熱積右為末豬膽汁丸如黍米大每服

二三十丸白术湯下 經驗方

治小兒一切癖疾取蝸牛殼七箇净洗不得有塵土令乾向酥蜜中甏合盛用紙糊於飯甑內蒸之下米即安之至飯熟取出細研漸漸一日食盡 小兒宮氣方

治小兒久患癖疾體虛不食及諸病後天柱骨倒謂之一五軟用木鱉子六箇去殼蓖麻子六十箇去殼

右為末先抱起頭顱摩頸上令熱次用山藥搗汁和藥調貼之

治小兒五癖用木鱉子使君子二味搗爛如泥丸芥

子大每服五分米飲下　万應方

治小兒通疳丸用使君子江子各七粒研爛搗飯作丸姜湯任下　濟生便宜方

治小兒疳椿白皮日乾二兩為末淘粟米去泔研濃汁糊為丸如桐子大十歲三四丸量數加減一丸入竹筒中吹於鼻中三度即瘥服丸以米飲下　子母秘錄

治小兒疳痢困重樗白皮搗麪拌作小顆子日晒少時又拌凡三過水煎至熟加鹽醋酒亦得頻服多少量兒大小　楊氏產乳

治小兒疳痢發熱髮焦眼澁口鼻唇乾取青黛每服
如大棗一塊涼水研服甚效宮氣方

治小兒疳痢單煑地榆汁如飴糖與食便已本草圖經

治小兒疳瘡嚼麻子傅之日六七度瘥

治小兒走馬疳蝕透損骨肉用天南星三箇當心剜
一坑竅安雄黃一塊外以麪裹燒煨麪焦取雄黃
以盞合出火毒研細末入麝香少許傅瘡神驗修真
秘旨

治小兒走馬疳用紅棗一枚去核包信如核大以熳
火煨令煙盡為度取出放地上碗覆出火毒為末

入黃柏末少許研勻先以米泔水洗患處令淨又以鐵綉水抹患處後以此藥摻患瘡其肉立生濟生便宜方

治小兒走馬牙疳一時腐爛欲死取婦人尿桶中白垢火煆一錢許入銅綠三分麝香一分研細末敷之立愈

治小兒疳瘡胡粉炒八分以豬脂和塗之瘥為度

治小兒腦疳鼻癢毛髮作穗面黃羸瘦益腦用鯽魚膽滴於鼻中連三五日甚效聖惠方

治小兒耳根後生瘡如割用地骨皮碾細羅將粗末

煎湯淨洗拭乾如瘡出膿水以細末傳瘡上瘡乾香油調傳 扶壽精方

治小兒耳邊鼻下赤爛用黃丹二兩炒令紫色菉豆粉一錢枯白礬一錢研細乾傳醬調亦可 經驗方

治小兒鼻下兩道赤者名曰䘌亦名赤鼻疳鼻以米泔洗傳黃連末日三四度佳 扶壽精方

治小兒赤白痢取蘘荷根汁生地黃汁各五合微火上煎一沸服之

治小兒赤痢搗青藍汁二升分四服亦治小兒丹毒搗藍青或靛傳之乾即易之 醫說

治小兒痢疾赤白晝夜百十行不止用檳榔去臍切片炒赤色罌粟殼去蒂蓋瓤炒黃焦色各五錢另搗為細末用銅鍋炒右二味藥自收用和勻紅痢蜜湯白痢沙糖湯赤白痢沙糖蜜同煎湯食前調化服忌葷腥醃鹹生冷之物 經驗方

治小兒久患赤白痢用桂去皮姜汁炙黃連用吳茱萸同炒去茱萸不用為極細末以紫蘇木瓜同煎湯調化食前服方寸匕

治小兒赤白痢體弱不堪大困重者用麻子三合炒令香熟為末每一錢蜜水調服 子母秘錄

治小兒赤白痢多時體弱不堪宣黃連濃煎和蜜服日六七服量大小每煎三分水減二分頻服

治小兒久痢淋瀝水穀不消用枳實五分為末米飲調下照兒歲加之 子母秘錄

治小兒洞下痢煮栢葉飲之

治小兒洞注下痢擣蒺藜以水調絞取汁溫服以瘥為度

封臍膏貼小兒水泄赤白痢用陳米粉炒黃為末每四錢加乳香末一錢每用一匙醋和作丸餅納臍中上以膏藥護貼重者一日一換甚妙 千金方

治小兒赤白痢取蝦蟆燒灰研細煎湯服一匕效奇效

單方

治小兒赤白痢或大小便不通燒蜂房研末酒調下

治小兒血痢紅痢用苦參為末每服半錢米飲調下

○又方用肉豆蔻麪裹煨過入乳香一粒為末每服二三分米飲調下

治小兒血痢取馬齒莧搗絞汁二合和蜜一匙服之

治小兒水瀉妳癖用川椒一分去目為末以酥調之少傅腦上日可三度出姚和衆方

治小兒水瀉及人年五十巳上用川椒二兩醋二升

煑醋盡慢火焙乾爲末甆器貯之毎服二錢匕酒或米飲下之出譚氏方

治小兒水泄用風化石灰糯米粥丸如芡實大毎冷水下一丸則好怪症奇方

治小兒霍亂吐利用人參木瓜倉米一撮右三味㕮咀以水煎分服以意量之立效

治小兒卒死而吐利不知是何病焉取濕狗糞一丸絞取汁灌之如無濕者煎乾者取汁灌之亦可

治小兒刮腸痢眼閉口合噤口用精豬肉一兩薄切片以膩粉末半錢掺肉上炙熟令吃如噤口不吃

肉放鼻頭聞香自然要吃甚效

治小兒吐瀉用丁香橘紅等分為末煉蜜丸如黃豆大作餅噙化一餅攝生衆妙方○又方用芭豆一粒去殼燈上燒熟黃蠟一小塊燈上燒滴入水中同擂丸如黍米大每大兒七丸小兒五丸用蓮子七枚燈草七段煎湯送下

治小兒泄瀉用肉豆蔻切去頂剜其中入丁香末三分以麪包煨熟去麪為末米飲調服扶壽精方○又方用車前子微炒為末每服一錢米飲調下

治小兒腸風糞前下血用酸石榴皮為末以茄枝煎

湯調化食前服

治小兒腸風糞後下血用五倍子為末以艾葉煎湯調化食前服全幼心鑑

治小兒外腎囊腫用天花粉一兩甘草炙一錢半右㕮咀用水煎入酒食前服

治小兒外腎腫大玉莖通明用牡蠣粉為末先以唾津塗腫處次以粉傅之全幼心鑑

治小兒腸證脫肛取地龍蟠如錢樣者一兩朴硝二錢右為極細末肛門濕潤乾摻患處乾燥以清油調入[illegible]以荊芥生葱煎湯[illegible]洗然後傅藥全幼心鑑

治小兒陰證脱肛取伏龍肝一兩鱉頭骨灰五錢百藥煎二錢半右為極細末用紫蘇煎濃湯後溫和清油同調傅

治小兒瀉痢後肛門脱下不收用赤石脂伏龍肝各一錢右為極細末腸頭上傅之即收○又方用蒲黄五錢豬脂一兩煉熟油同蒲黄研成膏塗腸頭收之○又方以槐花炒為末米飲調服方寸匕備急方○又方以鐵精粉傅之○又方以鐵煮水洗之姚和衆方

治小兒脱肛用浮萍草陰乾為末搽上即收

治小兒脫肛腸出蒲黃和豬膽傅上日三五度子母秘錄

治小兒大小便不通用豬苓一兩水煎湯調鷄屎白一錢服立便

治大便竟出血燒車肛一枚令赤納一升水中分二服

治小兒大便下血腸風臟毒用五倍子為極細末以白蜜丸如芡實大用米飲研化食前服

治小兒中蠱下血欲死擣青藍汁頻頻每服半合子母秘錄

治小兒頭上瘡及白禿髮不生汁出者鷄子七箇去

內皮於銅器中熬和油傅之

治小兒秃瘡髮不生膿出痛濃煮香薷汁洗淋拭乾以豬脂調胡粉末傅上良

治小兒頭秃瘡搗葶藶細末先洗傅之良〇又方搗榆白皮末醋和塗之蟲當出 千金方 〇又方早晨以蒜搽白處日日搽愈 經驗方 〇又方以香油煎胡荽傅 奇效单方 〇又方用山豆根末水調傅患處瘥 千金方 〇又方用鹹魚以香油煎熟去魚將魚滓塗於瘡上數次即瘥 松篁岡方

治小兒濕癬用桃樹青皮為末和醋調傅之

治小兒癬瘡搗蛇床子末和豬膽塗之

治小兒濕癬取牛鼻上津傅之○又方煎馬尿洗之良

治小兒卵癩杵桃仁傅之亦治婦人陰腫瘙痒

治小兒陰瘡燒亂髮傅之瘥

治小兒凍瘡用雀腦髓塗之立瘥

治小兒火灼瘡一名熛漿一名火爛瘡用酒煎茱萸汁拭之亦治小兒風疹

治小兒生黄水瘡潰爛燒艾灰傅上效 子母秘錄

治小兒黄爛瘡取四交道中土竈心土等分為末以

傳

治小兒浸淫瘡取竈中黃土髮灰等分為末以傳亦

治夜啼

治小兒湯火瘡水煑大豆汁塗之易瘥無班痕千金方

治小兒疝氣腫硬用蚯蚓不去土晒乾為末唾津調塗患上即消桃仁唾津調塗亦消

治小兒寒疝腹痛大汗出濃煎梨葉汁七合任意可作三四度飲之

治小兒口角爛瘡亂髮燒灰為細末豬脂和傳○又方用燕窠泥傳亦好備急方

治小兒口瘡擣芭蕉取汁傅之或飲

治小兒口瘡及風痱瘡等晚蠶蛾細研貼瘡上妙小兒宮氣方

治小兒口瘡通白者及風痱瘡蝕透者以白殭蚕炒黃色去絲為末用蜜和傅之立效

治小兒口瘡用黃連去鬚瀆為末蜜水調服○又方蒲黃研細搽患處

治小兒口出白沫四肢冰冷最為惡候一法治之極效其齒齦上有病子如粟米狀以温水醮熟絹裹手指輕搽破即開口便安

治小兒蛔蟲咬痛口吐涎沫用使君子去殼爲極細末以米飲調五更空心服

治小兒軀啼驚癇腹滿不乳食大便赤白色用栢子末米飲調服一二錢

治小兒驚癇及夜啼取仙杖安身伴睡良醫林集要

治小兒驚癇癖痢用虎膽研磨水飲之效○又方用熊膽磨水飲之亦效○又方用白馬齒磨水服之尤效

治小兒卒得癇剌取白犬血二升許含之又塗身上

治孩子驚癇不知人迷悶嚼舌仰目者用犀牛角末

半錢匕水二大合服之立效〇又方用牛黃一大豆研和蜜水服之 廣利方

治小兒諸惡驚癇用青黛水研服之日二三服 子母秘錄

治小兒胎驚用天南星大者一枚以童便浸透火炮令裂為末寒水石火煆為末等分生姜汁丸如黃豆大每一丸姜湯調哺服

治小兒驚風用全蝎一箇以薄荷四葉裹合火上炙令薄荷焦同研末作四服湯下大人風涎只一服 經驗方

治小兒急驚風用青礞石焰硝煆過為末每服半錢

薄荷煎湯下○又方用牛膽南星白附子全蝎去毒各等分為末每服半錢以淡姜湯下

治小兒驚啼烧鷄糞白米飲調服少許○又方烧亂髮無灰酒調服之 千金方

治小兒腹痛夜啼用牛黄如小豆大乳汁化服又臍下書字瘥

治小兒夜啼用蟬蜕二十七枚全者去翅足為末入硃砂一字蜜調丸使吮之○又方用胡粉服水調三豆大日三服 食醫心鏡 ○又方取鷄糞白炒末以乳服之佳○又方用前胡末蜜丸小豆大日服一丸

熟小下以瘥為止○又方取燈頭上花抹母乳頭上令兒含佳外臺秘要

治小兒拗哭不止以綿絹帶縛手足訖用三姓婦人净掃驢槽卧小兒於其中不令傍人知而看之候移時則拗哭自止備急方

治小兒多患胎寒好啼晝夜不止因此成癇當歸末小豆大乳汁灌之日夜三四度服瘥

治小兒熱渴久不止用葛根半兩細剉水一中盞煎取六分去滓頓温服

治小兒作渴取桑葉以蜜傅上線繫陰乾細切水煎

服之渴止勝[illegible]

治小兒嘔吐不定用五倍子一生一燒熟甘草一撮以濕紙裹煨過同搗末米飲調下半錢立瘥經驗後方

○又方用丁香半夏去皮劑生各一錢以生姜汁浸一宿晒乾為極細末姜汁煮麵糊丸如黍米大生姜煎湯食遠服○又方用黄連去鬚一兩為散每服一錢水七分入豆二十粒同煎至五分温服量兒大小加減進○又方用蒲黄細研每服半錢以生地黄汁調下簡要濟衆

治小兒吐下血用阿膠炒蛤粉各一錢辰砂少水飛少

許右為極細末藕汁入白蜜調化食遠服○又方

用藕節即晒乾為極細末用人參去蘆白蜜同煎湯

調化食遠服能消瘀血

治小兒吐血咯血下血用生蒲黃頭髮燒灰各一錢

右[illegible]極細末取生地黃汁或米飲調化食前服

治小兒下血刺雄鷄翅下血飲之抹之

治小兒舌上瘡飲乳不得以白礬和鷄子置醋中塗

兒足底二七即愈千金方○又方取胡粉末並羊

髓和塗上封之

治小兒舌上生瘡如粥皮擣桑白皮汁傅之三度立

瘥 外臺秘要

治小兒喉痺腫痛蜂房燒灰以乳汁和一錢匕服 食醫心鏡

○又方燒蛇蛻末以乳汁服一錢匕 千金方

治小兒喉痺用桂心杏仁各半兩為末以綿裹如棗

含嚥汁

治大小兒乳蛾咽喉腫痛或急慢驚風牙關緊急不知人事擂動不省取鶴虱草一名皺面母一名母豬芥一名杜牛膝採取根淨洗搗爛以好酒一盞入藥浸去滓灌入口內良久即甦

治小兒咽喉腫痛用桔梗防風甘草㕮咀水一盞煎

六七分溫服　養生主論

治小兒患蠱毒痢生地黃汁一升二合分三四服立效　千金秘錄

治小兒尿血用升麻五分水五合煎一合一歲兒一服盡　姚和衆　○又方用甘草五分以水六合煎二合去滓一歲兒一日服令盡○又方用燒巢灰以井花水服之亦治夜尿床

治小兒睡中遺尿不自覺桂末雄鷄心肝等分為丸如小豆大溫水下二三丸日二服　外臺秘要

治小兒頸軟用五加皮不拘多少為末酒調塗傅頸

骨上 奇效良方

治小兒身上惡瘡先以皂角水洗拭乾以少油麻擣爛傅燋即瘥

治小兒頭上軟癤用大枳殼一枚去穰令空磨平口以麪糊抹四唇粘在癤上自破膿流出盡更無瘢瘥○又方用茄子照瘡大小切半箇刓空周圍用醋打麪糊塗占封

治小兒軟癤焦炒油麻乘熱嚼吐傅之 譚氏小兒方

治小兒頭上瘡取梁上塵瘡有膿水乾傅瘡無膿水油傅之 醫林集要

治小兒頭上諸瘡燒雀卵殼研和豬脂傅之

治小兒眉煉頭瘡用小麥不以多少炒令黑色存性為末以少油調傅之

治小兒頭上瘡及浸淫瘡急痒瘡用芝麻生嚼塗

治小兒頭面生瘡及熱疿用莧系子煎湯浴之

治小兒頭面瘡疥白豬膽傅塗即瘥

治小兒面上生瘡黃水出鯽魚頭燒末和醬清水傅之日易

治小兒甜瘡多生於面部兩耳前有一法令母口中嚼白米成膏子臨卧塗之不過三五上瘥

治小兒面目黃赤氣息喘急啼声不出舌強唇青衣口撮面飲乳有妨用直殭蚕二枚去觜略炒為末蜜調傅唇中

治小兒目睛上白膜用白礬一分以水四合熟銅器煎取半合少下白蜜調之以綿濾過每日三度

芥子大漸漸退愈姚和衆方

治小兒火丹熱如火烧緩之即死急救搗赤小豆末和鷄子白調塗乾即易之

治小兒胭脂火丹毒用蓽麻子仁研爛秆銹鐵磨水紅處周圍之候乾再隨赤處圈塗

治小兒赤丹不止研粟米醋調傅之 兵部手集 ○又

蕎麥麪醋調傅之瘥

治小兒赤丹熱如火燒取馬齒莧搗汁傅之即瘥

治小兒赤丹遊毒搗蜒末醋傅之 兵部手集

治小兒赤丹遊毒遍身取藍靛塗患處即消 肘後方

治小兒丹毒皮膚熱赤用寒水石半兩白土一分搗羅爲末醋調傅之愈

治小兒五色丹毒取豬槽下爛泥傅之乾則易之

治小兒丹毒從臍中起用伏龍肝末以屋漏水和泥傅患處如乾再傅新汲水亦可

治小兒血風疹痒赤遊丹毒用景天搗末以醋調傅效

治小兒丹瘤用萆麻仁五枚研入麪二匙水調塗之甚效 修真秘旨

凡身上有赤黑疵針父脚取血塗之即消

痘疹門

治小兒痘疹已未出煩燥搗白芍藥為末每服一錢白湯調下大能活血止腹痛

治小兒痘疹入眼生翳膜用黃丹輕粉各等分為末竹筒左眼有翳吹在右耳右患吹入左耳即退

治小兒斑疹黑靨陷用鉄脚威靈仙炒一錢末腦子右研勻溫水調服取下瘡為效

治小兒斑瘡及痘瘡心燥眠卧不安用川升麻剉以服以綿蘸汁洗拭瘡盤上○又方亂髮燒灰服三錢匕

治小兒痘斑瘡疱倒靨黑者用麻黄去節半兩以蜜一匕同炒良久水半升煎沸去沫再煎去二分之未熟盡服避風其瘡復出○又方以無灰酒煎其效更速

斑瘡入眼歌

炒蒺藜炙甘草　羌活防風等分搗
每服二錢漿水下　撥雲見日直到老　儒門事親方

治小兒斑瘡豌豆瘡熟煮大豆取汁服之良

治小兒屎灰瘡黑豆熟爛傅之

治小兒痘瘡不起發或時腹痛取蟬蜕五十枚去頭

足浄為末每服一錢溫酒調下

治小兒痘出不快用紅花子一合以水半升煎百沸服之○又方用樺皮煎湯服 醫學正傳

治小兒初生如魚胞又如水晶破則水流用蜜陀僧研極細末摻之

治小兒痘爛生蛆取柳條帶葉鋪地將兒卧其上蛆出而愈

治小兒痘瘡初生出以小豆末醋調傳之

治痘瘡痒抓破膿水不乾取多年屋上爛草為末摻痘瘡破處

治小兒遍身發痒用生姜搗爛以布包搽之而止

治痘瘡愈後身不熱血弱虛汗自出用黄芪熟地黄五分水煎溫服不拘時 經驗痘疹方

治小兒因痘瘡身體及肢節有痒蝕瘡膿水不絶用出蛾者以生白礬末填滿繭内用炭火圍燒礬汁盡取出研極細末每用乾摻瘡口上二三次則瘥 經驗痘疹方 ○又方取燒過人骨灰研細末摻之 三次膿水太出至五六次水絶肌生斂肉極效 累經驗方

治小兒因瘡疹餘毒生痒蝕瘡用雄黄一錢銅綠一

錢同研極細末量瘡摻之效

治痘瘡入眼成翳用蟬蛻不拘多少去頭足浄洗晒乾為末每服一二分同羯羊肝煮汁食遠調服

又方用穀精草蛤粉等分為末用羯羊肝竹刀膜搽藥任內麻線扎住砂鍋內米泔煮熟服之忌辛辣煎炒酒及生熱之物

治小兒痘瘡入眼目用牛蒡子人參各等分研為細服二錢糯米稀粥調下神效

治小兒痘瘡黑陷項強目直視腹脹喘急發搐用蟬錢地龍一兩去土為末每服半錢如大兒服

乳香湯調下連進二服痘出紅色為效醫林

治小兒痘瘡黑陷倒靨用穿山甲土炒焦為末每服紫草前湯調下即出發紅漸長○又方用胡燒灰存性乾胭脂三錢為末以胡荽煎酒錢即出儒門事親方○又方用人牙一枚燒灰存性為末溫酒調下即長

治小兒痘瘡瘢面黶黑以蜜陀僧細研水調夜塗之明日一洗去平復矣譚氏小兒方

治小兒便血由痘疹陽毒入胃便血致日夜無度腹

痛啼哭用牛黃一分鬱金一兩為細末每服半錢以漿水半盞煎至三分和滓溫服量兒大小增減日二服

□疹百療不愈者用黃連切芒硝各三兩以水大升半去滓洗 日三五度瘥 千金方

救諸危絶証

治縊死搗藍葉汁灌之又極須安定其心徐緩解繩慎勿割斷抱取心下猶溫者刺鷄冠血滴口中即男雌女雄〇又方取梁上塵如豆大各納一筒四人各執一筒同時極力吹兩耳兩鼻中即

又方搗皂角細辛屑如胡豆大吹兩鼻中即氣通則活

搗皂角末紙裹納下部須臾水出自活〇又死人衣帶解開以艾炙臍中凡落水經一宿活〇又方先以刀強開其齒口橫含一筯使

水即令扶横於櫈或凳上令頭倒垂出水盡
臍中以皂角末綿裹納下部使氣通即活○
將死者脫去衣服埋於煖灰中頭足俱沒惟
孔○又方取菖蒲根搗汁灌鼻内或口中即
人半夏一豆許入鼻中良久氣煖可活青囊雜纂
凡用路上熱土大蒜等分搗爛水調去滓飲
醒千金方

救伏暑危不可使冷冷之即死宜用溫湯常摩洗其
心腹間如路途即用路上熱土敖塡臍間作窩令
人更尿其土窩中須臾即活

救冬月凍危四肢俱冷口不能言只有微氣者不可
便以火炙用布袋盛熱灰放在心頭冷即換熱待
眼開却用溫酒或米飲灌服

不醒取韭菜搗爛絞汁滴入鼻中冬月以韭
根 亦治 魘不醒

中鬼氣忽倒地四肢手握鼻口出血用雄黃
一錢許煎桃葉湯調下

治陽小腸急痛腎縮面黑氣喘自汗用連鬚
二莖砂鍋中研爛以酒五升煑取二升作三
用砂鹽乘熱盛袋先熨臍下氣海穴處經驗良方

傳信尤易方卷之八 救諸中毒五絕 三十三